Wie das Leben spielt

Monika K.

Bibliografische Information der Deutschen Nationalbibliothek: Die Deutsche Nationalbibliothek verzeichnet diese Publikation in der Deutschen Nationalbibliografie; detaillierte bibliografische Daten sind im Internet über dnb.dnb.de abrufbar.

Herstellung und Verlag: BoD - Books on Demand, Norderstedt

ISBN: 978-3-7494-7055-6

Liebe Leserinnen, liebe Leser,
ab der nächsten Seite begeben Sie sich auf eine Reise zwischen Liebe und Verzweiflung, Traum und Realität

Kapitel 1

Sonntagmorgen, 17.Oktober 2021

Nancy kommt von der Nachtschicht nach Hause und fragt sich mal wieder *warum tu ich das nur*. Völlig übermüdet schaut sie in den Spiegel und sieht einen Schatten ihrer selbst.

»Puh, was hab ich mir nur gedacht als ich diesen Job angenommen habe.«

Eine andere Wahl hatte sie in der Not jedoch nicht. Das wurde ihr jeden Tag klar, wenn sie in ihre fast leere Wohnung kam.

30qm aus längst vergessenen Tagen mit einem so kleinen Badezimmer, dass Nancy sich kaum um ihre eigene Achse drehen konnte. Ein altes Bett das ihre Freundin Ashley ihr schenkte kurz nachdem Nancys Freundin sie von heute auf morgen mit allem hat stehen lassen, mit allem außer mit Möbeln. Sie hinterließ ihr Trauer, Tränen und Einsamkeit, die ihr fremdgeworden war nach den 12 gemeinsamen Jahren. Catharina nahm nicht nur alle Habseligkeiten mit, nein, sie nahm jeden Cent den die beiden sich in den ganzen Jahren mühsam erspart hatten und machte sich auf und davon. Da Catharina mittlerweile genug verdiente um beiden ein relativ entspanntes Leben zu bieten, hatte Nancy angefangen sich um ihren Traum zu kümmern. Ihren Traum ein erfolgreiches Buch zu schreiben. Doch soweit war es noch nicht.

Nancy verdiente noch keinen müden Euro mit ihrer Schreiberei. Das Buch stockte, denn sie verlor sich ständig im Alltag und in den Streitereien mit Catharina, weil sie kaum noch von der Arbeit nach Hause kam und wenn doch mal, dann herrschte Eiszeit zwischen ihnen.
Nancy sitzt auf ihrem maroden Bett, auf der feuchten Matratze und bricht, wie jeden Tag, in Tränen aus. Wie jeden Tag seit Catharina weg ist. Als es an der Tür klingelt überlegt sie kurz ob es sich überhaupt noch lohnt aufzustehen, vielleicht ist es nur die nächste Hiobsbotschaft. Vielleicht muss sie ausziehen, weil sie wieder mal die Miete nicht rechtzeitig überwiesen hatte oder es ist gleich der Gerichtsvollzieher, jedoch konnte dieser sowieso nichts mitnehmen außer ihm fehlte noch ein klappriges Bett. Nancy muss lachen, lachen vor lauter Frust, Angst und Hoffnungslosigkeit. Vor lauter Gedanken hat sie ganz vergessen, dass es eigentlich an der Tür geklingelt hat, das wiederholte Klingeln riss sie erst aus ihrem Gedankenkarussell.
Mit tränenverschmierten Gesicht und verquollenen Augen, halb vom Weinen, halb von der Nachtschicht, öffnet sie die Tür.
Ashley stand freudestrahlend da. »Hey Nancy, Mädelsfrühstück gefällig?« und wedelt mit einer Brötchentüte und Sektflasche vor ihrer Nase herum.
»Oh hey Ash, der Sekt ist herzlich willkommen.«
Natürlich bemerkt Ashley, dass Nancy ihr tägliches Ritual, in Selbstmitleid baden, auch heute verfolgt hat,

sagt aber erstmal nichts weiter dazu. Stattdessen rennt sie in die spärlich ausgestattet Küche, wenn man einen Herd und einen Kühlschrank aus 1900 so nennen konnte und holt die zwei einzigen Gläser die Nancy besitzt um diese mit dem Sekt zu füllen, der Nancy wieder Leben einhauchen sollte.
Seit Wochen macht Ashley sich Sorgen um Nancy. Es ist nun 12 Wochen her, dass Catharina abgehauen ist aber Nancy versucht nicht einmal wieder in ein normales Leben zurück zu finden.
Täglich kommt sie sie besuchen um nach ihr zu schauen und jedes Mal findet sie Nancy in der selben Gefühlslage auf. Egal wie sehr sie sich bemüht Nancy abzulenken, auf andere Gedanken zu bringen, alles schien sinnlos. Nancy ist gefangen in ihrer Trauer. Was vielleicht daran lag, dass es keinen richtigen Abschluss bei den beiden gab, denn Catharina war plötzlich weg, alles war plötzlich weg. Ohne eine Vorwarnung, ohne ein Gespräch. Nur ein Post It auf dem Nachttisch auf dem Stand: **Komme nicht mehr wieder**.

Ashley verstand Nancy durchaus, selbst sie konnte nicht verstehen, was da passiert war. Die beiden waren für alle das absolute Traumpaar. Sowohl optisch als auch menschlich. Nancy mit ihren blauen Augen und kurzen schwarzen Haaren, immer gestylt und jede Trainingseinheit hatte sie gehasst aber durchgezogen für ihren Körper, dafür, dass sie nun mit 38 noch immer so makellos aussah und Catharina, die ewig

junggebliebene blonde Schönheit mit ihren leuchtend grünen Augen, die bei vielen für hypnotisierende Blicke sorgten und niemand je auf die Idee käme, sie auf 45 Jahre zu schätzen. Die beiden waren das komplette Gegenteil von Ashley. Ashley hatte schon als Kind mit ihrer Figur zu kämpfen, Sport hasste sie und die unzähligen Diäten brachten am Ende mehr Kilos auf die Waage als davor.
Ihre braunen, langen Haare waren an den meisten Tagen nicht zu bändigen und ihre braunen Augen waren so dunkel, dass sie fast schwarz wirkten. Nicht mal sie selbst schaute sich gerne an.
Manchmal beneidete sie Nancy und Catharina um ihre wunderschöne Erscheinung und um ihren Willen. Ashley hatte nie eine lange Beziehung, obwohl auch sie schon 39 Jahre alt war. Nicht, dass niemand sie mochte, sie mochte sich selbst nicht und bevor ein Mann sie für eine hübschere verlassen konnte, machte sie das lieber selbst und beendete alle Beziehung bevor sie zu richtigen Beziehungen werden konnten.

Nancy nippt an ihrem Sektglas, starrt auf den Boden. Ashley erträgt es nicht mehr Nancy so zu sehen. Die beiden kennen sich seit dem Teenageralter und haben schon schlimmeres miteinander durchgestanden.
Sie muss etwas unternehmen bevor Nancy in dieser Barracke eingeht.
»Hey Nancy, an der vierten Straße hat ein neues Café aufgemacht, es hat sich als Schreibercafe herum-

gesprochen, mittlerweile sitzen dort mehr Laptops als Menschen, das wäre doch das Perfekte für dich, schreib endlich deine Geschichte zu Ende.«

Nancy reagiert nur schleppend aber hebt ihren Kopf und schaut Ash mit schweren Augen an, doch ihr Blick ist leer.

»Ich weiß nicht Ash, ich weiß nicht mehr was ich schreiben soll, ich kann mich nicht konzentrieren und ständig blicke ich mich um ob ich irgendwo Catharina sehe. Ich weiß nicht wo sie ist, mit wem sie ist, ob es ihr gut geht, warum sie gegangen ist.« Schon kullern wieder bittere Tränen über Nancys Gesicht. Dieses Mal wollte Ashley aber nicht so schnell aufgeben.

»Ok, hör zu, ich komme mit. Wir trinken zusammen einen Kaffee, du nimmst deinen Laptop mit und wenn dir doch was in den Sinn kommt, fängst du einfach an, ich werde die ganze Zeit da sein.«

Nancy zögert, sie will ihre Freundin nicht wieder vor den Kopf stoßen und zugleich fühlt sie sich schwer wie Blei. Doch der Sekt lenkte ihre Gedanken etwas ab und sie dachte über die bisherigen Kapitel ihres Buches nach. *Vielleicht wird es wirklich Zeit weiter zu schreiben und wenn es dort wirklich mehr Laptops als Menschen gibt, so würde es sie ermutigen, dass andere gerade auch ihre Bildschirme anstarrten und nicht weiter wüssten.*

»Na gut Ash, lass uns gehen, ich hole nur schnell meinen Laptop und ziehe mich um.«

Ashley freute sich innerlich, wagte aber nicht es heraus zu schreien. Sie leerte noch den letzten Rest aus der Sektflasche bevor es los ging.
Ashley staunte nicht schlecht als Nancy wieder kam und sie sah, dass Nancy sich nach drei Monaten zum ersten Mal eine richtige Hose angezogen hatte und sogar ihre Haare waren gestylte, so wie sie es sonst von Nancy gewohnt war.
Wären nicht ihre Augenringe, würde sie wieder genau so atemberaubend aussehen wie Eh und Je.
Ashley hatte Nancy schon immer bewundert, sie wollte ein bisschen mehr so wie sie sein und in einigen wenigen Momenten fragte sie sich, woher diese Anziehung kam. Meist verlor sie den Gedanken wieder schnell, denn mehr als Freundschaft war zwischen den beiden noch nie.
»Los gehts Ash.«

Kapitel 2

Sonntagmorgen, auf dem Weg ins Café

Es war ein eisiger Herbstmorgen in der Stadt. Die paar Bäume die es gab, färbten sich schon kunterbunt. Nancy mochte den Herbst noch nie. Er war ihr zu melancholisch. Es war zu dunkel und zu kalt für ihr warmes Gemüt.

Ashley hingegen rannte manchmal wie ein kleines Kind durch das bunte Laub ohne sich Gedanken darüber zu machen, was die anderen Leute über sie dachten. Sie machte auch im Winter, mitten auf dem Gehweg wohlgemerkt, einen Schneeengel und erfreute sich an jeder Schneeflocke die auf ihrer Nase dahin schmolz. In diesen Augenblicken wollte Nancy ein bisschen mehr so sein wie Ashley. Ein bisschen fröhlicher, ein bisschen sorgloser … freier.
Denn das war sie noch nie. Sie war furchtbar verkopft, wägte jede Entscheidung tausend mal ab um es am Ende wieder sein zu lassen, denn zu einem Ergebnis kam sie in ihren Gedanken nie. So lief es wohl auch mit ihrem Buch.
Anstatt einfach zu machen, starrte sie oft stundenlang den Bildschirm an und brachte keinen Satz zu Stande. Am Ende zerbrach sie sich den Kopf darüber, wieso es so ist und schon war sie gefangen im nächsten Gedankenmeer.

Die Vierte Strasse war bekannt für ihre Kunst jeder Art. Es gab Galerien, Museen, Straßenkünstler. Irgendwie waren die Menschen in dieser Straße anders. Nancy fragte sich, ob sie auch anders sei oder anders auf Menschen wirkte. Aber was ist anders? Oder was ist normal?
Schweigend gingen Ashley und Nancy nebeneinander her.

Das Café Schreiberling, da ist es also. Nancy schaute sich um.
Es war gemütlich eingerichtet mit roten und gelben Loungeecken, flauschigen bunten Kissen auf den Sesseln und an den Wänden hingen Buchlayouts in Übergrößen von sehr bekannten bis hin zu underdog Schriftstellern. Überall war es gemütlicher als bei ihr Zuhause und tatsächlich sah man an jedem Tisch Laptops und Notizbücher. Hinter dem ein oder anderen schaute ein vertieftes Gesicht kurz auf und musterte Nancy, die mit ihrem Laptop unter dem Arm da stand und in die Runde schaute, suchend nach einem Nischenplatz.
»Komm Ash, lass uns dort drüben in die Ecke«, sagte Nancy ohne zu bemerken, dass Ashley schon längst in einem Sessel saß und die Karte studierte. Sie trottete zu ihr hin und ließ sich mit einem tiefen Seufzer in den Sessel neben ihr fallen.
»Ich brauche dringend einen Kaffee, am besten mit Schuss« , sagte Ash.

Nancy lies derweil ihren Blick schweifen und fragte sich, was die alle wohl schrieben.
Einen Roman? den nächsten Psychothriller der direkt auf Platz 1 schießt? Oder geht es jemandem auch so wie ihr und er sitzt hier jeden Tag stundenlang und weiß nicht mehr weiter. Denn so wird es ihr heute wahrscheinlich schon wieder gehen.
Ashley bestellte sich einen Kaffee mit Baileys, den mochte sie morgens am liebsten und Nancy beließ es bei einem Cappuccino. Nancy öffnete ihren Laptop und ihre Buchdatei. Es ist so lange her, dass sie an ihrem Buch arbeitete, dass sie selbst die letzten Seiten lesen musste um wieder in ihre Geschichte zu finden.
Ashley war schon verschwunden. *So viel dazu, dass Ash bei mir bleiben würde.*
Nancy erblickte sie zwei Tische weiter bei einem Mann sitzen der in ihr Beuteschema passte. Sie beobachtete die lockere Atmosphäre, als würden die beiden sich schon lange kennen aber das bezweifelte Nancy, denn sie kannte alle ihre Freunde, Liebhaber und Liebeleien. Wahrscheinlich ist er der Nächste auf ihrer Liste. Aber sie gönnte ihr jeden Einzelnen. So konnte Ash zumindest nicht das Selbe passieren wie ihr, sitzengelassen nach 12 langen Jahren.
Hinten in der Ecke, gegenüberliegend ihres Tisches sah Nancy eine junge Frau die sich an ihrem Tee die Hände wärmte. Sie hatte Kopfhörer in den Ohren und sah gefesselt auf ihr Tablet. Manchmal huschte ein Lächeln über ihr Gesicht. Nancy konnte ihren Blick kaum von

ihr abwenden, irgendetwas einzigartiges hatte sie an sich oder war es ihre Aura? Sie schien von Wärme umgeben zu sein. Nur zu gerne hätte sie einen kurzen Blick von ihr eingefangen aber sie war so vertieft, dass sie gar nicht mitbekam, dass Nancy sie schon länger beobachtete. In dieser Sekunde bemerkte Nancy, dass es zumindest gefühlt die ersten Sekunden waren in denen sie nicht mehr an Catharina dachte.

Nancy fing an ihre Geschichte zu überdenken. Diese junge Frau, sie nannte sie mal „Jacky“, die sie dort drüben sitzend so faszinierte, wäre eine gute Figur in ihrem Roman. So eine Persönlichkeit fehlte noch, eine in die sich auch die Leser verliebten ohne viel über sie zu erfahren.

Wie ferngesteuert tippte sie auf der Tastatur herum, ihre Gedanken und Ideen schienen sich zu überschlagen als Ash an den Tisch trat. »Nancy, ich sehe es läuft. Deine Finger tanzen ja nur so über die Tasten und Buchstaben. Ich wusste, hier würde es dir gefallen, so unter Gleichgesinnten. Sorry, dass ich plötzlich weg war aber dieser Typ, Steven, ist so hot.« Sie lachte verschmitzt und strich sich eine Strähne aus den Augen.

»Kein Problem, ich habe deinen Flirt genutzt und eine neue Figur in meinem Buch geschaffen, ich denke, es läuft wieder. Danke, dass du mich hierher gebracht hast aber ich denke, ich muss jetzt wirklich mal ins Bett. Sehen wir uns heute Abend? Oder hast du ein

Date mit diesem Steven?«, sagte Nancy mit einem Zwinkern.
»Klar habe ich ein Date, mit dir meine Liebe. Schlaf dich aus und wir treffen uns heute Abend wieder hier.«
Nancy zog ihren Mantel an, dabei sah sie nochmals zu „Jacky". Ein wohliges Gefühl machte sich in ihr breit. Auch wenn „Jacky" es nicht sah, schenkte Nancy ihr ein Lächeln und ging nach Hause.
Zum Glück war sie so müde, dass es ihr im Moment egal war, dass sie wieder in diesem Bett lag, das modrig roch und quietschte und ihre Klamotten in Kartons gestapelt waren.
Unruhig schlief sie, wie immer, seit sie alleine schlafen musste. Geplagt von Träumen in denen Catharina die Hauptrolle spielte.
Völlig benebelt wachte sie auf, schaute auf die Uhr ihres Smartphones und stellte fest, dass sie fast verschlafen hatte, sie hatte schließlich ein Date mit Ash und ihrem Laptop und insgeheim hoffte sie, dass „Jacky" auch da sein würde.
Heute hat sie das erste Mal nicht stündlich auf ihr Smartphone gestarrt um zu schauen ob nicht doch eine Nachricht von Catharina gekommen ist. Manchmal, hatte sie ihr Telefon förmlich angebettelt, dass es aufleuchtete und dort „Catharina ruft an" erschien.
Heute ist es egal, sie hatte, wenn auch nur für einen Augenblick, ein bisschen Kraft, Hoffnung und Mut gefasst.

Sie hatte sich schon lange nicht mehr so richtig hübsch gemacht. Nancy kramte durch die Kartons mit ihrer Kleidung aber in dem Chaos war es schwer was zu finden oder es war völlig zerknüllt. Sie entschied sich für eine hautenge Blue Jeans, eine weiße, durchsichtige Bluse und ihren geliebten Mantel, der ein Geschenk von Catharina war.
Um 19 Uhr war mit Ash im Café Schreiberling ausgemacht. Nancy war vor lauter Kartons durchwühlen spät dran. Ein Auto hatte sie nicht also musste sie den Weg zu Fuß zurück legen, es war schon dunkel und typisch für den Oktober war es trist und regnerisch. Noch immer hasste sie es, das dachte sie jedes Mal, wenn sie zu dieser Jahreszeit aus dem Haus musste.
Etwas genervt davon kam sie kurz nach 19 Uhr im Café Schreiberling an und noch bevor sie nach Ash schaute, ging ihr Blick erst zu dem Tisch an dem „Jacky" heute morgen saß. Sie war nicht da und Nancy musste feststellen, dass sie wirklich etwas enttäuscht war. Sie erspähte Ash an der Bar, sie drehte sich gerade herum und wedelte wild mit ihrer Hand umher.
»Schön, dass du da bist Nancy, ich habe uns schon Drinks bestellt.«
Ash legte gleich los mit ihrer *Steven ist so toll* Geschichte. Wieder ein Mann, der für ihren Höhenflug verantwortlich war und den sie dann doch wieder abschießt wenn es ernster wurde. Während sie Nancy alle Details von heute Morgen erzählte, blieb Nancys

Blick immer wieder am Tisch von „Jacky" hängen. Dort saß niemand. In ihren Gedanken jedoch, saß SIE dort.
Sie versuchte sich an jede Kleinigkeit in ihrem Gesicht zu erinnern, sie wollte nichts vergessen, denn wer weiß ob sie sie je wieder sah.
»Erde an Nancy«, sagte Ashley und schnippte mit den Fingern vor Nancys Gesicht herum.
»Bist du noch da oder führe ich gerade Selbstgespräche?«
»Sorry Ash, ja klar bin ich da, ich war nur etwas abgelenkt.« Irritiert schaute Ashley Nancy an.
»Abgelenkt wovon? Von dem leeren Tisch da drüben den du anstarrst?«
»Äh nein, ich denke über die neue Figur in meinem Buch nach, die von der ich dir heute morgen erzählt habe.«
»Die muss ja ganz schön Eindruck bei dir hinterlassen haben«, sagte Ashley lachend und hob ihr Glas.
»Prost meine Liebe, auf einen schönen Mann für mich und eine noch schönere Frau für dich.«
Beide mussten lachen, tranken noch einige Drinks bis die Bedienung ihnen zu verstehen gab, dass sie zum Ende kommen sollten. Nancy war dankbar für ihre Freundin, die letzten Monate wären ohne sie noch viel schlimmer gewesen. So hatte sie wenigstens diesen einen Fels in der Brandung.

Kapitel 3

Montagmorgen, 18.Oktober 2021

Nancy kam nur mit Mühe aus dem Bett, doch nicht die schlechten Träume ließen sie nicht schlafen, nein, es waren die Gedanken an die schöne, geheimnisvolle Frau aus dem Café Schreiberling.
Sie musste heute erst zur Spätschicht in ihrer, wie sie fand, furchtbaren Arbeitsstelle auftauchen, darum beschloss sie, die Zeit bis dahin nicht nur mit liegen und heulen zu verbringen sondern mit ihrem Buch und vielleicht endlich mal ihr Leben neu zu sortieren. Denn das wollte sie unbedingt, sie wusste nur nicht wie. Sie war überfordert damit überhaupt einen Anfang zu finden. Wo sollte sie beginnen und wo ist das Ziel? Sie hatte Ziele, viele Ziele aber das waren Ziele aus der gemeinsamen Zeit mit Catharina. Sie hatte keine Ziele für sich, für sich alleine.
In den Momenten in denen sie darüber nachdachte, wünschte sie sich eine Hand, eine Hand die nach ihrer griff und ihr den Weg zeigte. Das hatte Catharina sonst für sie getan.
»Schluß mit den kreisenden Gedanken«, sagt Nancy zu sich selbst und springt auf.
Eine Dusche und eine Tasse Kaffee später ist Nancy auf dem Weg ins Café Schreiberling.
Dabei kommt ihr in den Sinn, dass sie sich schon vor Wochen hätte bei ihrer Mutter Maria melden sollen.

Sie hatte es ihr versprochen aber durch die ganze Trauer und den miesen Job mit seinen noch mieseren Arbeitszeiten, hatte sie es vergessen oder verdrängt. Ja, vielleicht sogar verdrängt, denn sie wollte nicht mit ihrer Mutter über ihr Versagen sprechen. So fühlte sie sich, wie eine Versagerin. Ihre Mutter akzeptierte zwar ihre Beziehung zu Catharina, war aber nie glücklich damit. Insgeheim hoffte sie wahrscheinlich immer, dass es nur eine Phase ist. Eine lange Phase. Geht vorbei, hörte Nancy Maria manchmal zu ihrem Vater Eddy sagen. Ihr Vater Eddy war da ganz anders. Er freute sich immer wenn seine beiden Mädels Nancy und Catharina gemeinsam zu Besuch kamen. Er wünschte sich so sehr eine Hochzeit, denn er wollte seine Tochter, so wie es sich gehörte, zum Altar führen und in sicheren Händen wissen.
Heirat kam für Catharina jedoch nie in Frage. Jetzt ist Nancy auch klar warum, sie hatte wohl nie vor, für immer zu bleiben.
Immerhin haben sie sich so die Scheidungskosten gespart. Nancys Bruder Theodor hatte nämlich schon zweimal das Vergnügen und blieb auf allen Kosten sitzen. Bis heute stottert er den Kredit ab mit drei Jobs.

Im Café Schreiberling angekommen steuert sie zielstrebig ohne aufzuschauen auf ihren Platz von gestern morgen zu und übersieht dabei fast die nette Bedienung von gestern Abend.

»Oh hey, nur langsam in der Früh, das wäre fast schief gegangen mit uns«, sagte Lucy und lachte.
»Tut mir echt leid«, stammelte Nancy vor sich hin.
Lucy zwinkerte ihr zu und ging zum nächsten Tisch um die Getränke zu servieren. Nancy sah nun, dass ihr auserwählter Platz leider schon von einem Schreibwütigem jungen Mann belegt war der wohl so schnell nicht gehen würde. Zumindest dem nach zu urteilen, wie er im Akkord auf seiner Tastatur herum hämmerte.
Sie drehte sich nach links und rechts und wusste nicht wohin mit sich, wie so oft. Denn auch „Jacky" war wieder nicht da.
Nancy wollte aber vorbereitet sein und nahm am Tisch daneben Platz. Natürlich hoffte sie, dass „Jacky" doch noch kam.
Nancy bestellte ihren Cappuccino und startete ihren Laptop.
Ein ganzes Kapitel möchte sie heute vor der Arbeit schreiben und es soll besser werden als alle zuvor.
Kaum huschten ihre Finger wieder über die Tasten, kamen ihre Gedanken von vorhin wieder in den Kopf geschossen, »ach Mist, ich wollte oder besser ich sollte doch meine Mutter anrufen«, seufzte sie vor sich hin. Aber hier ist bestimmt nicht der beste Ort um zu telefonieren, am Ende würden alle empört oder wütend schauen, weil sie mit ihrem Telefonat die anderen in ihrem kreativen Prozess stören würde. Also beschloss sie es trotzdem hinter sich zu bringen und

ging nach draußen. Es war heute bitter kalt und sie würde das Gespräch so kurz wie möglich halten und sich dann wieder dem widmen weswegen sie hier ist.

»Hi Mum , ich bin's …«

»Hallo Nancy, endlich meldest du dich mal, ewig hab ich nichts mehr von dir gehört. Immer vergisst du deine Mutter.«

Nancy verdrehte die Augen und lies den Kopf in den Nacken fallen. Das sagte Maria immer. Selbst, wenn sie sie täglich anrufen würde, würde dieser Spruch von ihr kommen.

»Ich hatte so viel zu tun, da denke ich nicht immer daran bei dir anzurufen«, antwortete Nancy nach längerem Schweigen.

»Ja natürlich, dann müsste dein Buch ja schon fertig sein wenn du so schwer beschäftigt bist, dass du nicht mal deine Mutter anrufen kannst«, antwortete Maria schnippisch während sie sich an den Esstisch in der Küche setzte und ihren Tee trank.

Nancy war kurz davor einfach aufzulegen. Sie hatte ihrer Mutter noch nicht einmal erzählen können, was tatsächlich los ist und trotzdem sprach sie schon mit diesem vorwurfsvollen Unterton.

Wie wird es erst klingen, wenn sie ihr sagt, dass sie einen neuen erbärmlichen Job hatte und Catharina sie sitzengelassen hat.
Doch sie musste es ihr sagen, bald war Marias Geburtstag, am 13.11 um genau zu sein, und spätestens dann würde sie erklären müssen, warum sie alleine kam. Maria wurde erst achtundfünfzig Jahre alt. Sie hatte Nancy schon mit zwanzig Jahren bekommen, wie es zu der Zeit eben üblich war.

»Mum hör zu, ich muss dir noch was erzählen. Wahrscheinlich wird es das, was du sowieso schon von mir und Catharina denkst nur bestärken aber es ist so: Catharina hat mich verlassen, von heute auf morgen war sie weg. Das ist vor drei Monaten geschehen. Ich arbeite jetzt in einer Fabrik die Werkzeuge herstellt und lebe in einem kleinen Loft«, als sie Loft aussprach, musste sie fast hysterisch auflachen. Klein war es in der Tat.

Langes Schweigen machte sich in der Leitung breit, nicht mal ein Schnaufen war zu hören. Nancy dachte schon, Maria hätte aufgelegt oder sie sei vor Schreck umgefallen.

»Ach Nancy, wahrscheinlich war es für euch beide nur eine Phase, jetzt könnt ihr euch voll und ganz auf was Neues, auf das Richtige konzentrieren. Catharina wird das vor dir erkannt haben und hat rechtzeitig ihre

Sachen gepackt und du wirst es nun bestimmt auch bald einsehen. Es ist für alle das Beste. Dein neuer Job ist sicher besser als Zuhause zu sitzen und an einem Buch zu schreiben, das du nie fertig bekommst und wenn du möchtest, darfst du gerne wieder bei uns einziehen. Dein Vater hat sicher nichts dagegen«, sagte Maria mit einem Singsang in der Stimme, der verriet wie erleichtert sie über die Trennung war.

Nancy stand fassungslos da und glaubte kaum was sie da hörte. Allerdings, was hätte sie von ihrer Mutter schon anderes erwarten können.
Nancy legte ohne ein weiters Wort zu verlieren auf und schaltete ihr Smartphone aus. Auch wenn sie wusste, dass Maria so oder so ähnlich reagieren würde, war sie trotzdem geschockt und verletzt. Es war ihre Mutter, da konnte man doch etwas Mitgefühl erwarten.
Noch eine Weile stand sie draußen in der Oktoberkälte und starrte in Gedanken versunken in den Himmel.
Als würde sie auf ein Wunder warten, darauf, aus diesem Albtraum zu erwachen und alles war wie früher.
Als es anfing zu regnen, erwachte sie aus ihrem Tagtraum und ging wieder ins Café. Heute brauchte sie auch einen Kaffee mit Schuss, dachte sie.
Als sie zurück zu ihrem Platz lief, erstarrte Nancy. „Jacky“ war da, an ihrem alten Platz, neben ihr.

Eine Mischung aus Freude und Panik machte sich in ihr breit. Ihr wurde heiß und kalt zugleich.
Etwas unkoordiniert bewegten sich ihre Beine Richtung Tisch. Nancy wagte es nicht „Jacky“ anzuschauen, irgendwie war sie nervös, dabei kannte sie sie überhaupt nicht. Sie setzte sich an ihren Laptop und versuchte einen Blick auf den Bildschirm von „Jacky“ zu erhaschen, was ihr jedoch nicht gelang. Zu gerne würde sie ihren richtigen Namen kennen. Nancy versuchte nicht ständig rüber zu schauen, konnte es aber auch nicht so recht lassen. Wie sollte sie sich so aufs Schreiben konzentrieren. Ein wunderbarer Duft kitzelte ihre Nase. Nicht aufdringlich, aber er bezeugte eine Anwesenheit.
Durch diese Ablenkung brachte Nancy gerade nichts zu Stande und so schaute sie gedankenverloren aufs Display ihres Laptops als sie herausgerissen wurde von ihrer Tischnachbarin.
»Ähm hi, entschuldige, ich wollte dich nicht beim nachdenken stören aber mein Akku ist leer, hast du vielleicht ein Ladegerät dabei?«
Anstatt zu antworten, starrte Nancy völlig verwirrt und erschrocken und machte so große Augen als hätte sie chinesisch mit ihr gesprochen. *Oh wie peinlich ist das nur.* Am liebsten wäre Nancy im Erdboden versunken oder aus dem Café gestürmt.
»Hey, äh, hi meine ich. Ich habe leider kein Ladegerät dabei, denke ich, nein, ich weiß es, sorry«, stotterte Nancy rum und hätte sich am liebsten unter dem Tisch

verkrochen. *Das war an Peinlichkeit kaum zu übertreffen*, dachte Nancy und hätte sich am liebsten selbst geohrfeigt.
»Kein Thema, ich dachte nur, weil ich gesehen habe, dass dein Akku auch fast leer ist, dass du besser vorbereitet bist als ich und eins dabei hast. Ich hoffe, ich habe dich jetzt nicht völlig aus dem Konzept gebracht. Ich heiße übrigens Lea«, sagte „Jacky" und streckte ihr die Hand hin.
Mit offenem Mund schaute sie Lea an und reichte ihr in Zeitlupe ebenfalls die Hand und vergaß dabei sich selbst vorzustellen.
»Und du heißt … ?«, fragte Lea lächelnd.
»Nancy, ich heiße Nancy« ,antwortete sie verdutzt.
»Freut mich sehr Nancy. Schreibst du ein Buch oder was verschlägt dich hierher? Ich habe dich letztens schon hier gesehen und du scheinst neu im Schreiberling zu sein. Die Meisten hier kennt man, es sind immer die selben Gesichter mit dem selben Getränk zur selben Tageszeit, da ist es erfrischend ein neues Gesicht zu sehen«, sagte Lea erfreut und ihre blauen Augen funkelten Nancy förmlich an.
»Ja ja, genau, ich schreibe ein Buch. Eine Freundin hat mir von diesem Café erzählt und ich mag es. Ich glaube dich das letzte Mal auch gesehen zu haben«, sagte Nancy so, als ob sie sich nicht sicher wäre und versuchte belanglos zu klingen. Nur das leichte Zittern in ihrer Stimme verriet sie.

»Okay, dann lass dich nicht weiter abhalten, ich bin gespannt auf das Ergebnis. Ich kaufe einfach jedes Buch das von einer Nancy stammt«, sagte Lea zwinkernd und widmete sich wieder ihrem Bildschirm.

Nancy stand noch immer neben sich und konnte kaum glauben, was da gerade geschehen war. Träumte sie? War das einer ihrer sinnlosen Tagträume oder war das Wirklichkeit? Ein Lächeln huschte über ihr Gesicht und ihr Herz machte einen spürbaren Sprung. War sie etwa verliebt? Unmöglich.

Sie kannte Lea ja überhaupt nicht und sie war doch noch mitten in ihrem Liebeskummer gefangen. Mal davon abgesehen, wusste sie überhaupt noch wie sich verliebt sein anfühlte? Sie versuchte sich daran zu erinnern aber so sicher war sie sich nicht mehr. Schließlich ist es zwölf Jahre her.

Eine Beziehung fühlte sich im Laufe der Jahre immer wieder anders an und der Alltag hielt Einzug und zerstörte nach und nach das unglaubliche Gefühl des Verliebtseins. Übrig blieb oft nur ein und der selbe Ablauf, Tag für Tag und auch Nacht für Nacht. Denn auch ihr Sexleben mit Catharina war irgendwann eingeschlafen. Erst nur einmal die Woche, dann jeden zweiten Monat und irgendwann nur noch zu besonderen Anlässen. Das hatte sie zwar manchmal sehr frustriert und dann sehnte sie sich wieder nach aufflammender Leidenschaft und Begierde andererseits war sie dankbar für das was sie mit Catharina

hatte. In wenigen Momenten überkam sie jedoch die unwiderstehliche Lust nach einem Abenteuer. Sie machte es nie, niemals würde sie zerstören wollen was sie hatten aber in ihrem Kopf war es immer wieder ein Film den sie gerne mal abspielen lies, wenn sie alleine war. Ob es Catharina auch so ging? Ist sie deshalb gegangen? Hatte sie die Nase voll von diesem Alltag und fand jemanden, der ihre Fantasie wieder zum Leben erweckte? Zu gerne hätte sie auf all diese Fragen endlich eine Antwort um abschließen zu können oder sie zurückzugewinnen aber dazu müsste sie Catharina erst wiederfinden. Aber wo suchen? Ihr Telefon war seit dem Tag an dem sie ging ausgeschaltet.Vielleicht hatte sie schon längst das Land verlassen, ist durchgebrannt, wie man so schön sagt. Vielleicht lebte sie mit ihrer neuen Freundin auf einer Finka und hatte jeden Tag hemmungslosen Sex am Strand. Bei dem Gedanken verspürte sie einen furchtbaren, ihr Atem raubenden, Stich in der Brust.
Den Tränen nahe packte sie schnell ihren Laptop zusammen, bezahlte ihren Kaffee und rannte aus dem Café ohne sich von Lea zu verabschieden.

Draußen empfingen sie seit langem mal wieder einige Sonnenstrahlen. Sie erweckten die Stadt zum Leben.
Die Straßenmaler zauberten ihre Kunstwerke auf die Straßen und die Straßenmusikerin trällert „Over the Rainbow."

Nancy nahm einen tiefen Atemzug und lief nach Hause um sich vor der Arbeit noch eine Auszeit zu gönnen. Noch nie in ihrem Leben fühlte sie sich so ausgelaugt und leblos.
Sie versuchte an nichts zu denken und schaute sich die Menschen an. Große, kleine, dünne, nicht so dünne, weiße und farbige als sie plötzlich erstarrte. Sie blinzelte die Tränen aus den Augen die ihr dieses Mal der kalte Wind in die Augen trieb und schrie: »Cathaaaarinaaaa, warteeee.«
Als Catharina nicht reagierte und auf der anderen Straßenseite weiterlief setzte Nancy zu einem Sprint an. Vor der Trennung war sie täglich laufen aber jetzt nach 3 Monaten Pause, glaubte sie, ihre Lunge würde jeden Augenblick versagen. Ohne Rücksicht rannte sie quer über die vielbefahrene Straße, ein Hubkonzert brach aus aber Nancy rannte weiter unbeirrt zu Catharina. Ihr fehlte die Puste um auch noch nach ihr zu rufen. Sie rannte um die Hausecke hinter der Catharina verschwunden war und blieb keuchend, auf ihren Knien abgestützt, stehen. »Verdammter Mist«, fluchte sie. *Das kann doch gar nicht sein. Sie ist hier eingebogen, ich habe es genau gesehen, sie kann sich doch nicht schon wieder in Luft aufgelöst haben.* Wild wanderten ihre Augen von links nach rechts, sie ging am den Schaufenstern vorbei und drückte an jedes einzelne ihre Stirn aber nichts war zu sehen von Catharina.

»Das darf doch nicht wahr sein«, sagte Nancy wieder zu sich selbst. *Werde ich verrückt und es war nur eine Fata Morgana herbeigerufen von meinem Gehirn das sich so sehr nach Antworten sehnte.*

Zermürbt und durchgeschwitzt trottete Nancy nachhause. Den Blick zu Boden gerichtet spielte sich immer wieder die selbe Szene in ihrem Kopf ab. Je mehr sie darüber nachdachte umso weniger wusste sie, was beziehungsweise wen sie da gesehen hatte.

Am Ende traute sie sich selbst nicht mehr.

Kapitel 4

Montagnachmittag bei der Arbeit

Noch immer verfolgte sie das Erlebnis von vorhin, sie konnte sich kaum auf die Arbeit konzentrieren. Nicht, dass das bei dieser Arbeit schlimm wäre, denn sie machte die ganze Schicht über nichts anderes als zwei Teile zusammenzustecken und das im Akkord. »Ich werde hier noch verblöden«, flüsterte Nancy vor sich hin. Sie hatte zwar noch keine neue Idee was sie stattdessen tun könnte aber sie wusste, dass sie das hier nicht lange aushalten würde. Alles ist besser als das Hier und zum Leben reicht es sowieso nicht also ist es nicht mal eine gute Notlösung. Nancy fand bisher keinen Anschluß bei ihren Arbeitskollegen aber das war ihr auch egal, ihr war nicht nach neuen Freundschaften und oberflächlichem Gerede und lange bleiben wollte sie ja auch nicht.

Sie war sowieso schon länger hier als zuerst geplant.

So kam es ihr gerade recht, dass ihr Smartphone eine Nachricht von Ashley ankündigte.

Hey Nancy, bist du arbeiten? Es war ein schöner Abend mit dir. Wie geht es dir heute? Wie läuft es mit deinem Buch?

Ich habe mich heute morgen mit Steven zum Brunch getroffen, naja, er war doch nicht so toll. Das nächste Mal gehen wir Brunchen.

Was steht an heute Abend?
Deine Ash

Nancy reagierte schon gar nicht mehr darauf wenn Ash ihr mal wieder erzählte, dass sie einen Typen in den Wind geschossen hatte. Es war die Mühe nicht wert, beschloss Nancy für sich.

Hey Ash, ich habe Spätschicht. Ich hatte heute eine kuriose Begegnung oder eher zwei aber später mehr dazu. Hat mich auf jeden Fall durcheinander gebracht. Heute morgen war ich im Café, weiter geschrieben habe ich nicht.
22 Uhr in der Jackson Bar? Ich brauche einen doppelten.
Deine reizende Nancy

Nancy schickte die Nachricht ab und lies ihr Telefon wieder in ihren Arbeitskittel sinken bevor noch jemand sah, dass sie im Akkord tippte aber nicht arbeitete.

21.30 Uhr, endlich Schichtende. Auf ihrem Telefon sah sie, dass Ash noch nicht geantwortet hatte. Komisch, eigentlich schrieb Ash am liebsten den ganzen Tag hin und her. *Was soll's, ich gehe einfach in die Jackson Bar und schaue ob Ash dort ist.*
Von ihrer Arbeitsstelle bis zur Jackson Bar waren es nur ein paar Häuserblocks also würde sie sowieso viel früher da sein.

Jeffrey, ihr Lieblingsbarkeeper würde heute bestimmt auch Schicht haben, dann könne sie wenigstens mit ihm den heutigen Tag vergessen und ein paar spezielle Kreationen von ihm kosten. Leisten kann sie sich das eigentlich in ihrer jetzigen Situation nicht aber es spendete ihr Trost und sie musste nicht in ihrem Loft sitzen. Morgen hatte sie frei also nutzte sie den Abend so richtig aus, komme was wolle.
In der Jackson Bar angekommen steuerte sie auf ihren Stammplatz zu. Ash war nirgends zu sehen. Komisch, das passte überhaupt nicht zu ihr. Nancy überkam ein mulmiges Gefühl und sie checkte nochmals ihr Telefon. Nichts. Gähnende Leere. Es ist noch nicht 22 Uhr, sie beschloss erstmal noch zu warten bevor sie in Panik verfiel. Jeffrey kam schon strahlend auf sie zu und sagte: »Nancy meine Liebe, schön, dass du wieder da bist. Ich dachte, ich müsse den Abend ohne deine Anwesenheit überstehen aber jetzt bist du ja da und ich habe mir schon einen einzigartigen Mix für dich ausgedacht, der wird dir die Schuhe ausziehen.«
Jeffrey strahlte immer, man könnte ihn als Sonnenschein bezeichnen. Nancy hatte ihn noch nie schlecht gelaunt oder trübselig erlebt obwohl er es selbst nicht immer einfach hatte. Seine Frau starb vor zwei Jahren mit seiner ungeborenen Tochter im Bauch bei einem schrecklichen Busunglück hier in der Stadt. Seitdem war er alleine und arbeitete sieben Tage die Woche. Getrauert hatte er bestimmt noch nie, er lenkte sich ab in dem er sich die Probleme seiner Stammgäste

anhörte und ihnen mit Rat und Tat zur Seite stand um ihnen dann am Ende ein Taxi zu rufen damit sie sicher zuhause ankamen.

»Jeffrey, toll, danke, ich freue mich auf deine neue Kreation. Sag mal, hast du zufällig Ash gesehen?«

»Ash? Nein, Ash war heute noch nicht hier, ich habe sie schon länger nicht mehr gesehen. Geht es ihr gut?« erkundigte sich Jeffrey.

»Ich denke schon, wir waren verabredet aber sie meldet sich nicht. Vielleicht rufe ich sie doch besser mal an und du sagst, sie war schon länger nicht mehr hier?«

Diese Information machte Nancy stutzig. Hatte Ash ihr doch beinahe täglich erzählt, dass sie wieder ohne sie in der Jackson Bar war, in den ersten Wochen als Nancy das Haus nicht mehr verlies.

»Es ist schon wirklich lange her, dass ich Ash hier gesehen habe, das letzte Mal war, als ihr gemeinsam hier wart und das ist doch schon Monate her oder nicht?!«

Nancy sprang auf, schnappte sich ihren Mantel und ihr Telefon und ging hinaus. Noch immer keine Nachricht von Ash. Sie wählte ihre Nummer aus dem Telefonbuch. Sie wartete und wartete doch es kam kein Freizeichen, nach einigen Sekunden, die sich wie Minuten anfühlten, als Nancy schon dachte, sie hätte keinen Empfang, sprang die Mailbox von Ash an.

Hey Leute, hier ist Ash. Hinterlasst eine Nachricht oder auch nicht. Vielleicht rufe ich zurück.

Merkwürdig, Nancy wusste nicht mal, dass Ash eine Mailboxansage hatte. Ash ging immer an ihr Telefon, es war noch nie aus, nicht mal nachts schaltete sie es ab um auch ja nichts zu verpassen.
Als wäre der Tag nicht schon kurios genug, schienen die Verwirrungen kein Ende nehmen zu wollen. Sie wollte doch nur mit ihrer besten Freundin einen trinken und ihr von ihrem eigenartigen Tag erzählen aber selbst die ist nun verschwunden oder was auch immer.
Nancy stand wie angewurzelt da, die Stirn in Falten gelegt und konnte ihren Blick nicht vom Display abwenden. Jede Sekunde würde Ash anrufen oder schreiben, ganz sicher.
Das Display ging aus und blieb dunkel, sie versuchte es wieder und wieder aber immer nur diese
Mailbox die verkündete, dass sie gerade nicht mit ihrer besten Freundin sprechen konnte.
Nancy ging zurück in die Bar wo Jeffrey ihr schon den Drink bereitgestellt hatte und auf sie wartete.
»Und hast du Ash erreicht, kommt sie auch?«, fragte Jeffrey nachdem Nancy wieder Platz genommen hatte.
»Nein, ihre Mailbox geht immer an, ich erreiche sie nicht Jeff«, sagte Nancy besorgt. Die Sorge stand ihr schon ins Gesicht geschrieben. Das alles war so

untypisch für Ash, dass die ganzen anderen Gedanken an den heutigen Tag wie weggeblasen waren.
»Mach dir keine Sorgen um Ash, du kennst sie doch, vielleicht vergnügt sie sich mit irgendeinem Mann und morgen früh ruft sie dich an um dir von ihm zu berichten. Ist das nicht immer so?«, Jeffrey schaute sie fragend an.
»Ja, womöglich hast du recht. Zwar hat sie sich noch nie so lange nicht gemeldet, geschweige denn eine Verabredung verpasst aber vielleicht ist der Typ dieses Mal was besonderes.«
Beide brachen in Gelächter aus und prosteten sich zu.
Nancy trank den Ein oder Anderen neuen Mix zu viel während Jeff und sie sich über den neusten Klatsch und Tratsch aus der Stadt austauschten. Stunden später, als sie sich schon benebelt fühlte, schaute sie vorsichtshalber nochmals auf ihr Telefon aber nichts. Immer noch nichts. Der Alkohol verstärkte nun auch noch ihre grauen Gedanken und lies ihre Fantasie noch bunter werden - was Ash wohl alles hätte zugestoßen sein können.

»Jeff, ich denke, ich habe ein bisschen zu viel deiner Drinks probiert, ich sollte besser nach Hause. Ich danke dir«, lallte Nancy.
»Aber natürlich, lass mich dir ein Taxi rufen, so kann ich dich nicht nach Hause laufen lassen und ich kann die Bar noch nicht schließen um dich zu begleiten«, sagte Jeff während er schon den Hörer am Ohr hatte.

Ein paar Minuten später war das Taxi auch schon da. Es war nicht all zu weit zu ihrem Loft aber sie war froh um das Taxi. Nachts ist es hier wirklich gruselig und sie war nicht gerne alleine unterwegs. Musste sie normalerweise auch nicht, sonst war Ash immer dabei oder Catharina.

Zuhause angekommen lies sie sich samt ihrer Kleidung ins Bett fallen und sank in einen unruhigen Schlaf.

Kapitel 5

Dienstagmorgen, 19.Oktober 2021

Verkatert wachte Nancy auf und stellte fest, dass sie gestern so betrunken war, dass sie sich kaum erinnern konnte wie der Abend zu Ende ging. Wie kam sie überhaupt nach Hause?
Im selben Moment schoss ihr in den Sinn, dass sie gestern Ash nicht mehr erreicht hatte. Sofort machte sich Panik in ihr breit und sie suchte hektisch nach ihrem Telefon. Im Badezimmer fand sie es im Waschbecken … sie war wohl wirklich betrunken gewesen, das bestätigte ihr auch der Presslufthammer in ihrem Kopf.
»Verdammt, Akku leer«, schrie sie, was ihrem Kopf nur noch mehr leid zufügte.
Sie steckte es schnell an das Ladegerät und wartete unruhig darauf, dass es genug geladen war, damit es wieder anging. Gefühlt dauerte es eine halbe Ewigkeit bis endlich das Symbol auftauchte, das anzeigte, dass das Telefon wieder startklar sei.
Sie war nervös und dadurch vertippte sie sich auch noch bei der Eingabe ihrer PIN. Zum Glück schaffte sie es ihre Finger zu kontrollieren, zumindest beim dritten und letzten Versuch, sonst wäre auch noch das Telefon gesperrt gewesen und sie kannte die Nummer von Ash nicht auswendig. Wer kannte heut zu Tage überhaupt noch irgendeine Nummer auswendig?

Das Telefon war wieder im Netz. Nancy wartet kurz ob eine Nachricht von Ash rein kam oder ein Anruf in Abwesenheit erschien aber wieder nichts.
Das verstärkte ihre Sorgen um Ash und sie bekam einen Schweißausbruch. Besser, sie rief Ash an. Ein leichtes Beben streifte ihren Körper und Kälte durchfuhr sie als wieder nur die Mailbox ansprang. Es war elf Uhr morgens, Ash war eine Frühaufsteherin, selbst wenn sie die ganze Nacht gefeiert hatte.
Nancy schnappte sich die erstbeste Jogginghose und warf ihren Mantel über und stürmte aus der Wohnung. Ash wohnte 15 Gehminuten von ihr entfernt in einem noblen Stadtviertel. Mittlerweile fühlte Nancy sich dort fehl am Platz, doch das spielte gerade alles keine Rolle. Sie würde Sturmklingeln bis Ash ihr öffnete. Sie wurde immer schneller bis sie zu rennen begann, denn mit jedem Schritt wurde ihr ungutes Gefühl stärker und sie malte sich die wildesten Sachen aus und versuchte sich selbst die wirrsten Antworten auf das Verschwinden von Ash zu liefern.
Anscheinend hatte sie doch mehr als genug Fantasie, diese bräuchte sie mal während sie ihr Buch schrieb, schweifte sie in ihren Gedanken ab. In nicht mal Zehn Minuten stand Nancy vor Ash' Haustür. Es war ein altes aber sehr gepflegtes Backsteinhaus in dem vier Familien lebten. Sie beneidete Ash manchmal darum in so einer schicken Gegend zu leben und ihre Wohnung war groß und lichtdurchflutet und jeder Raum war thematisch eingerichtet.

Anfangs, direkt nach der Trennung, schlief sie oft bei Ash, doch sie wollte sie nicht belagern und so fand sie ihr Loft in einer durchaus schlechteren Gegend aber wenigstens nicht all zu weit weg von Ash.

Nancy klingelte Sturm. Immer und immer wieder.
Nichts tat sich.
Kein Türöffner summte, die Gegensprechanlage blieb ebenfalls stumm. Kurz schaute sie die Klingelschilder an, vielleicht hatte sie in der Hektik auf die falsche Klingel gedrückt. Sie musste zweimal hinschauen und rieb sich die Augen. Schlief sie? Ein böser Traum? Die Klingel die einst mit Ashs Namensschild belegt war, war leer. Nur noch drei Schilder hatten einen Namen getragen und das Vierte, das Vierte das sonst Ash gehörte war namenlos.
Nancy stand aufgelöst da, ratlos sah sie immer wieder auf die Klingelschilder, kontrollierte die Hausnummer, den Straßennamen.
Alles korrekt, alles außer das fehlende Schild an der Klingel und ihrer verschwundenen besten Freundin.
»Ok Nancy, nicht durchdrehen, denk nach, es muss eine logische Erklärung für all das geben«, sagte sie immer wieder zu sich selbst.
Nancy erschrak als plötzlich die Haustür aufging und eine Frau mit ihrer kleinen Tochter vor ihr stand. Sie musterte Nancy von oben bis unten und fragte sie: »Ist alles in Ordnung mit Ihnen? Sie sehen nicht gut aus, brauchen Sie Hilfe?«

Nancy wusste nicht was sie sagen sollte, überfordert mit dieser Situation, dass nun auch noch ihre Beste Freundin weg war, versuchte sie einen klaren Gedanken zu fassen.

»Ich suche meine Freundin, Ashley Brown, sie wohnt hier im Haus«, sagte Nancy mehr dem Boden den sie anstarrt als zu der Frau vor ihr.

»Ach, Sie meinen bestimmt die alleinstehende Dame. Ja also die ist schon vor über einem Monat hier ausgezogen. Ziemlich schnell ging das und seit dem lebt niemand mehr in der Wohnung.«

Nancy verstand kaum was sie da hörte. Es drang nicht richtig zu ihr durch. Wie konnte das möglich sein. Sie traf Ash fast täglich und nie hat sie auch nur ein Wort darüber verloren, dass sie umziehen möchte. Sie war zwar schon länger nicht mehr bei ihr, Ash kam immer zu ihr, aber sie wussten alles voneinander und wenn mal eine von ihnen umziehen wollte oder musste, dann hatten sie die neue Bleibe immer gemeinsam ausgesucht. Ash zog auch gar nicht gerne um, sie lebte hier nun schon seit mindestens sechs Jahren und so viel Nancy wusste, sollte das auch so bleiben. Aber anscheinend wusste sie nichts. Nun zweifelte sie an sich selbst. Konnte nicht mehr erkennen was die Realität war und vergaß dabei die Frau, die noch immer vor ihr stand und auf eine Antwort wartete.

Sie schaute zu ihr rauf und brachte nur ein gequältes »Danke Ihnen« raus, sank ihren Blick wieder zu Boden und lief planlos durch die Straßen.

Ihre Gefühle und Gedanken fuhren die wildeste Achterbahn ihres Lebens. Unzählige Stunden musste sie umher gelaufen sein, denn es fing an zu dämmern. Sie lief und lief, so weit, dass sie nicht mehr wusste in welchem Stadtteil sie sich nun befand.
Orientierungslos schaute sie sich um. Hier ist sie noch nie gewesen. An beinahe jeder Ecke saßen Obdachlose Menschen, eingewickelt in mehrere Jacken um die kalten Nächte auf der Straße zu überleben. Viele von ihnen überlebten die kalte Jahreszeit auf der Straße jedoch nicht, das wurde immer wieder in der Tageszeitung berichtet, aber sie erinnerte sich nicht mehr an die Zahl. Das spielte auch keine Rolle, jeder einzelne war einer zu viel. Gerne würde sie ihnen helfen oder etwas geben, aber viel mehr hatte sie auch nicht zu bieten. Sie musste wieder zurück finden und ihre letzten Euros für diesen Monat wohl in ein Taxi investieren. Denn ihr Telefon hatte sie auch zuhause liegen lassen als sie los stürmte, somit konnte auch das Smartphone Navi ihr nicht mehr helfen.
Die neue Technik machte das Leben zwar einfacher aber auch nur, wenn man sie dabei hatte und der Akku geladen war.

20 Minuten brauchte das Taxi und das Taxameter zeigte 45€ an. Da konnte sie dem Fahrer kein Trinkgeld mehr geben, das ist für Nancy ein halbes Vermögen geworden. Dabei war es ein äußerst freundlicher Taxifahrer, der immer wieder einen Versuch startete,

ein Dialog mit Nancy zu führen. Es tat Nancy wirklich leid, dass der Taxifahrer eher einen Monolog führte weil sie selbst viel zu beschäftigt damit war, ihr Chaos im Kopf zu sortieren und sich dabei nicht zeitgleich auf ein Gespräch konzentrieren konnte. Sie bedankte sich bei ihm, schlug die Autotür zu und rannte schnell nach oben um ihr Telefon zu holen, vielleicht gab es doch endlich ein Lebenszeichen von Ash. Oder besser noch, eine Erklärung.

Sie durchwühlte ihr Bett und fand ihr Telefon eingewickelt in ihrer Decke. Hecktisch überflogen ihre Augen die Nachrichten darauf. Ihr Vater Eddy schrieb ihr, wie leid es ihm täte, dass Catharina nicht mehr da sei und ihre Mutter lud sie zum Essen ein. Sie hatte wahrscheinlich ein schlechtes Gewissen.
Dann noch eine E-mail von ihrem Stromanbieter, eine Zahlungserinnerung, na toll, das hatte ihr noch gefehlt und die letzte Nachricht ist von Jeff, der sich erkundigte ob Alles gut sei nach dem gestrigen Abend.
»Nichts ist gut«, schrie Nancy aus vollem Leibe und fing bitterlich an zu weinen.
Sie kauerte neben ihrem Bett auf dem Boden. Neben dem Bett, dass sie so sehr an Ash erinnerte und war ratlos, noch ratloser als nach dem Abgang von Catharina.
Wenn wenigstens Catharina hier wäre, sie wüsste was zu tun war, dachte Nancy.

Vielleicht sollte sie systematisch die gesamte Stadt ablaufen. Jeden Laden, jedes Café und jedes Restaurant unter die Lupe nehmen. So wie ihr der Gedanke kam, wurde ich klar, dass das keinen Sinn machte. Doch eine bessere Idee kam ihr nicht. Sie ertrug es nicht, dazusitzen und Nichts zu tun. Keine Träne dieser Welt würde ihr Catharina oder Ash wieder bringen. An schlafen war nicht zu denken und ihr Telefon blieb ebenfalls stumm. Ein grausames Gefühl war tief in ihr drin. Morgen müsste sie wieder arbeiten gehen aber ihr war klar, dass sie das nicht schaffen würde. Wie sollte sie sich in einer so emotionalen Lage auf die Arbeit konzentrieren können. Um nicht den restlichen Abend auf dem Boden kauernd zu verbringen, beschloss Nancy ins Café Schreiberling zu gehen, nicht um weiter zu schreiben, denn das war undenkbar, aber als Ablenkung, um nicht alleine hier zu sitzen und verrückt zu werden. Denn sie stand kurz davor.
Sie versuchte sich einen Reim auf die Geschehnisse der letzten Monate zu machen. Das Catharina sie verlassen hatte, damit würde sie klar kommen, denn je länger sie darüber nachdachte umso bewusster wurde ihr, dass sie beide schon lange nicht mehr glücklich waren und Catharina kam so selten von der Arbeit nach Hause, dass es nur noch eine Frage der Zeit war, bis sie einen Schlussstrich zog, nur die Art und Weise wie sie es gemacht hatte, das würde Nancy noch verfolgen, da war sie sich sicher. Nach zwölf Jahren war es gewiss ein respektloses Ende und sie würde sich noch lange

Vorwürfe machen, dass sie nicht selbst eher reagiert hatte als sie bemerkte, dass ihre Beziehung einem Abwärtstrend folgte und das nur, weil sie so sehr mit sich selbst beschäftigt war. Aber Ash, ihre Ash seit über zwanzig Jahren. Darüber könne sie nicht hinweg kommen ohne eine Erklärung. Ash und Catharina haben sich nie sonderlich gut verstanden aber sie haben sich toleriert. Catharina hasste es, wenn Nancy mit Ash um die Häuser zog, sie hatte immer Angst, dass Ash Nancy in eine ihrer Männergeschichten hineinzog. Mitgehen wollte sie allerdings auch nie, es war ihr zu „blöde", wie sie immer sagte.

Nancy raffte sich auf, versuchte ihre geschwollenen Augen unter Make up zu verstecken. Das benutze sie sonst nie aber heute konnte sie ohne nicht mehr aus dem Haus.

Sie lief durch die hell erleuchtete Stadt, in manchen Straßen wurde schon die Weihnachtsbeleuchtung aufgehängt. Bald würden alle Straßen geschmückt sein und der Einkaufstrubel würde starten. Gestresste Menschen die von Laden zu Laden rannten und am Ende doch nicht das bekamen was sie suchten. Zynisch dachte sie: *darüber brauche ich mir dieses Jahr keine Gedanken zu machen. So wie es aussieht, habe ich nur noch mich.*

Um 21 Uhr kam Nancy im Café Schreiberling an.

Heute Abend fand dort eine Vorlesung statt.

Dementsprechend war noch mehr los als sonst aber es ging ihr sowieso nur um die Cocktails, denn die brauchte sie heute mehr denn je.
Was ein Glück, Lea war auch da. So fühlte sie sich nicht ganz so alleine und fremd.
Heute war sowieso schon alles egal also ging sie ganz selbstverständlich auf Lea zu und begrüßte sie.
»Hallo Lea, schön ein bekanntes Gesicht zu sehen.«
Lea bemerkte Nancy zunächst nicht, da sie vertieft war. Aber nicht in die Vorlesung sondern in ihr Tablet.
»Hi … Nancy richtig? Schön ein neues bekanntes Gesicht zu sehen. Das ging ja schnell mit dem Wiedersehen, nachdem du gestern so schnell weg warst«, sagte Lea strahlend.
Es tat gut von jemandem so angestrahlt zu werden.
»Ja, tut mir echt leid, dass ich mich das letzte Mal nicht mehr verabschiedet habe, ich musste dringend los.«
Was für eine Floskel, dachte Nancy. Gerne hätte sie sich etwas kreativeres einfallen lassen aber viel spuckte ihr Gehirn heute nicht mehr aus.
»Kein Problem, ich hatte mich nur gewundert und leider hatte ich deinen Nachnamen immer noch nicht, darum konnte ich dich auf den sozialen Netzwerken nicht finden. Ich dachte, du hast vielleicht eine persönliche Bücherseite oder so etwas. Setz dich doch zu mir.«
Nancy kam kaum hinterher mit der Verarbeitung von Leas Worten. Ihr Kopf arbeitete nur noch sehr langsam.

»Danke, gerne. Ich heiße Roberts mit Nachnamen aber auch mit dieser Information hättest du mich auf den sozialen Netzwerken nicht gefunden. Ich schreibe mein erstes Buch und es ist noch weit davon entfernt fertig zu sein«, sagte Nancy und schämte sich dabei, denn sie wusste wie lange sie schon daran saß.

»Nancy Roberts also, weiß ich das auch endlich. Bist du wegen der Vorlesung hier oder wolltest du weiter arbeiten? Ich arbeite gerne abends und nachts, irgendwie bin ich da einfallsreicher«, Lea sagte das mit einem breiten Grinsen und Nancy vernahm ein leichtes Zwinkern.

Nancy wusste nicht recht was sie darauf antworten sollte, die Wahrheit konnte sie ihr ja wohl kaum erzählen. Wer würde ihr diese Geschichte glauben also entschied sie sich für die halbe Wahrheit.

»Ich wollte einfach nur nicht zuhause sitzen und hier fühle ich mich wohl und dann fiel mir ein, von der Vorlesung gelesen zu haben an der Eingangstüre und auf ein paar Cocktails hatte ich heute Abend ebenso Lust.«

Lea musterte und beobachte Nancy ganz genau, sie folgte ihren Lippen bei jedem Wort, das machte Nancy nervös.

Sie konnte doch an diesem Tag nicht an ihr Liebesleben denken. Auch wenn es schön wäre nach dem ganzen Verlust wieder auf Wolke sieben zu schweben, so wäre es doch im Augenblick sicherlich falsch. Andererseits, dachte Nancy, meine beste Freundin und meine

Partnerin waren nicht mehr da, die beiden hatte es ja schließlich auch nicht gekümmert was mit mir geschah. Ein bisschen Trost hatte ich bestimmt verdient und Lea schien genauso interessiert zu sein wie Nancy selbst. Gibt es dafür einen richtigen Zeitpunkt?

Lea riss Nancy aus ihren Gedanken.

»Das trifft sich ja sehr gut. Auf Cocktails habe ich auch Lust. Hast du einen Favoriten? Normalerweise trinke ich Nichts aber auf diesen Abend sollten wir gemeinsam anstoßen, vielleicht ist es ja der beste Tag meines Lebens.«

Nancy wusste nicht ob sie weinen oder lachen sollte, denn es war ihr bisher schlimmster Tag im Leben.

Das behielt sie jedoch für sich und setzte ein Lächeln für Lea auf.

»Ja, vielleicht einen Cosmopolitan?«

»Ich bestelle uns zwei«, sagte Lea und sprang auf in Richtung Tresen.

Nancy fragte sich, was sie da bloß tat. Ash war verschwunden und sie wusste nichts Besseres zu tun als mit einer hübschen, großen, sportlichen jungen Frau zu flirten. Kaum zu Ende gedacht drängte sich jedoch die Tatsache in ihr Bewusstsein, dass Ash kein Opfer war, sie war nicht verunglückt oder gekidnappt worden, nein, sie entschied sich, aus einem für Nancy unbekannten Grund, sich aus dem Staub zu machen. Umzuziehen, woanders neu anzufangen, ihre Wohnung aufzulösen und zu verschwinden, ohne ein verdammtes Wort darüber zu verlieren.

Nancy hatte sich in Rage gedacht und sie führte unzählige, wütende Gespräche in ihrem Kopf.
Aus der ganzen Angst und Sorge wurden allmählich Wut und Hass. Auf Ash und Catharina.
Sie nahm sich fest vor, den Abend mit Lea zu genießen und ihre Wut in Cocktails zu ertränken.
»Hier, ein Cosmopolitan mit extra Schuss für dich und ein Cosmopolitan für mich in extra Sanft«, sagte Lea lachend und stellte die Cocktails ab. Ihre Augen wanderten zu Nancys Augen und verloren sich darin für einen langen Moment. Nancy durchfuhr ein Schauer.
Sie hielt sich an ihrem Glas fest um nicht die Fassung zu verlieren und damit ihre Hände eine Aufgabe hatten. Sie wusste nicht warum, aber in Leas Anwesenheit kam sie sich immer ein bisschen unbeholfen vor, aber wahrscheinlich war sie einfach nur aus der Übung. Leas Ausstrahlung brachte sie regelrecht durcheinander.
»Danke, ich bin gespannt wie groß der Schuss in meinem Cosmopolitan ist, vielleicht brauche ich einen besonders großen«, sagte Nancy und blickte dabei auf ihr Glas.
Ihre Hände wurden feucht und lagen unruhig auf dem Glas. Das blieb nicht unbemerkt.
»Nancy, ist alles in Ordnung? Du wirkst etwas aufgewühlt. Ich weiß, wir kennen uns noch gar nicht aber ich hoffe, dass nicht ich diejenige bin, die dich so

nervös macht. Denn das ist in keiner Weise meine Absicht.«

Genau in diesem Augenblick spürte Nancy, wie ihr die Hitze ins Gesicht stieg, sie fühlte sich ertappt und versuchte ihr Gesicht zu vergraben indem sie den Boden unter dem Tisch begutachtete.

Sie traute sich kaum aufzublicken, sie spürte Leas Blicke auf ihr ruhen.

»Nein, nein, wo denkst du hin. Ich hatte heute einfach nur keinen sonderlich guten Tag und möchte den jetzt gerne mit dir im Cosmopolitan ertränken«, witzelte Nancy und versuchte Leas Blick standzuhalten.

Lea bewies viel Feingefühl und nickte Nancy zu ohne sie ausfragen zu wollen. Sie lies es auf sich beruhen und wollte den Abend genauso genießen wie auch Nancy das nun tat. Sie sprachen über dieses und jenes, belanglose Sachen und probierten die Cocktailkarte einmal durch. Zugegeben, sie fingen an, sich die Cocktails zu teilen, denn es wäre zu schade wenn sie sich an diesen Abend nicht mehr erinnern könnten.

Der Alkohol lies die Themen persönlicher werden, auch wenn Nancy immer wieder kurz abschweifte in Gedanken, so war sie absolut fasziniert von Lea, mit jedem Wort ein bisschen mehr.

»Sag mal«, fragte Lea, »bist du vergeben? Entschuldige wenn ich so direkt frage aber ich habe den Eindruck, da ist mehr zwischen uns als nur der Cosmopolitan, kann das sein? Und bisher hast du mit keinem Wort jemanden in deinem Leben erwähnt.«

Wenn Lea nur wüsste. Wie gerne würde sie mit der ganzen Geschichte herausplatzen aber Nancy wollte sie ja nicht verschrecken oder, dass sie sie für verrückt hielt. Denn an diesem Tag ist sie definitiv das Beste was ihr passieren konnte.

»Ich … nein, ich bin nicht vergeben. Ich war es aber das ist schon ein paar Monate her. Catharina, wir waren 12 Jahre zusammen«, sagte Nancy leise.
Nancy sah Mitleid in Leas Augen, das wollte sie überhaupt nicht. Sie wollte nicht so angeschaut werden. Sie wollte nicht, dass sie am Ende aus Mitleid nett zu ihr war.
»Boah, ich bin so ein Trampel, tut mir ehrlich leid, ich wollte dir nicht zu nahe treten«, antwortete Lea und schlug sich die Hand auf die Stirn. »Ich hatte auch schon mal mehr Taktgefühl.«
Nancy huschte ein Lächeln über die Lippen, gefolgt von einem kaum wahrnehmbaren Nicken. Es tat ihr gut den Abend mit Lea zu verbringen. Es lenkte sie ab und sie war nicht in der ständigen Versuchung auf ihr Telefon zu schauen.
Noch konnte sie sich nicht eingestehen, dass Ash sich womöglich nie wieder meldete. Es war zu absurd um wahr zu sein.
Sie war sich nicht mal mehr sicher, ob sie sich überhaupt in der Realität befand. Der Cosmopolitan

und die weiteren Cocktails der Karte verstärkten diese Unsicherheit nur noch mehr.
Ihre Sinne waren benebelt. Sie fühlte sich von etwas unsichtbaren eingehüllt, ein bisschen wie in einem Paralleluniversum.
Lea bemerkte Nancys Abwesenheit und schnippte mit den Fingern vor ihrer Nase herum.
»Lea an Nancy, bist du noch bei mir?«, fragte Lea und schaute Nancy erwartungsvoll an.
Nancy fuhr zusammen als hätte man sie aus dem Tiefschlaf gerissen.
»Oh Mann, hast du mich jetzt erschreckt. Ich habe mich wohl etwas in meinen Gedanken verloren. Heute bin ich nicht die beste Gesellschaft, nicht wahr? Vielleicht sollte ich mich langsam auf den Heimweg machen.« So versuchte Nancy aus dieser Situation zu fliehen, denn sie wusste nicht mehr was sie sagen sollte ohne, dass alles aus ihr heraussprudelte, sie ertrug es kaum, mit diesen ganzen Ereignissen selbst fertig werden zu müssen und die tausenden Fragen in ihrem Kopf machten sie mürbe.
Lea schaute enttäuscht drein, das bemerkte Nancy an ihrem gesenkten Blick.
»Du bist die beste Gesellschaft die ich mir hätte für heute Abend wünschen können. Wegen mir musst du nicht gehen und dass ich vorhin so taktlos war, tut mir leid, ich hoffe, ich habe dir damit nicht den Abend versaut. Du siehst allerdings wirklich gerade nicht so gut aus und ich würde dich ungern alleine nach Hause

gehen lassen. Ich wohne hier direkt um die Ecke, wenn du möchtest, kannst du heute Nacht bei mir bleiben.« Lea räusperte sich. »Also versteh mich nicht falsch, das sollte keine billige Anmache sein oder so.

Ich würde dir mein Bett überlassen und auf dem Sofa schlafen.«

Nancy fühlte sich überrumpelt von der Frage und wusste diese nicht richtig einzuordnen. Konnte sie einfach mit einer fast Fremden nach Hause gehen? An einem Tag, an dem offenbar ihre beste Freundin verschwunden war? Vielleicht war Lea ja eine Verrückte? Immer wieder hörte und las man von solchen mysteriösen Fällen. Oder ihre Fantasie ging mal wieder mit ihr durch. Das ist überhaupt nicht ihre Art und zugleich sehnte sie sich danach, nicht alleine zu sein und endlich mal wieder in einem normalen Bett zu schlafen. Zumindest, ging sie davon aus, dass Lea besser hauste als sie selbst.

In dieser Sekunde vibrierte ihr Telefon. Es lag mit dem Display auf dem Tisch. Es war kein Anruf nur eine Nachricht. Ihr Herz machte einen Satz und bevor sie darauf schaute, schickte sie eine Bitte ans Universum, es möge doch eine Nachricht von Ash sein.

Ihre Hand zitterte als sie nach ihrem Telefon griff, langsam drehte sie es herum und auf dem Display erschien:

Ash:
Hey meine Liebe,
bitte versuche mich nicht zu finden. Ich wollte dir nicht mehr Kummer bereiten als du schon hast, doch ich musste gehen. Vielleicht werde ich dir eines Tages erklären können warum.
Ich bin stets bei Dir.
Deine Ash

Nancy starrte minutenlang auf Ashs Nachricht. Sie las sie immer und immer wieder. Einerseits war sie so erleichtert, dass Ash nichts passiert war, zugleich wurde ihr Herz schwer wie Blei, denn ihre beste Freundin würde wohl nicht plötzlich wieder auftauchen. Sie war weg, sie meinte es ernst und anscheinend konnte sie nicht mit ihr darüber reden. Wie schlimm musste der Grund für ihr Verschwinden also sein.
Sie war so durcheinander, dass sie nicht mal wusste, ob sie ihr antworten sollte oder nicht und wenn ja, was sollte sie dazu schreiben? Ihr alles Gute wünschen, sie anbetteln, dass sie zurück kommen sollte oder ihr schreiben wie wütend sie darüber sei, dass sie gegangen war.

»Nancy, ist alles okay? Du siehst aus als hättest du einen Geist gesehen? Gibt es schlechte Nachrichten?« Fragte Lea und war selbst verunsichert ob sie Nancy mit ihrem Angebot nicht verschreckt hatte.

»Das ist schwer zu sagen. Gib mir eine Minute, ich schreibe kurz zurück, dann können wir los«, antwortete Nancy ohne von ihrem Telefon aufzublicken.

Liebe Ash,
ich verstehe die Welt nicht mehr. Ich hoffe sehr, irgendwann wieder von dir zu hören. Ich vermisse meine beste Freundin jetzt schon.
Pass auf dich auf

Nancy wartete auf das Häkchen hinter ihrer Nachricht, das bestätigte, dass die Nachricht zumindest zugestellt wurde. Doch wie erwartet, blieb es aus. Ash musste ihr Telefon gleich wieder ausgeschaltet haben nachdem sie ihr die Nachricht geschickt hatte. Ash lebte und diese Gewissheit müsste ihr als Trost vorerst genügen.
Lea beobachtete Nancy die ganze Zeit und lies sie keine Sekunde aus den Augen. Vielleicht schaute sie sie sogar etwas besorgt an, sagte aber nichts. Lea hatte Angst, zu viel zu sagen, das Falsche zu fragen.
Sie kannten sich zu kurz als das Nancy ihr etwas anvertrauen würde, das war ihr klar, auch wenn sie sich wünschte hinter Nancys Wand blicken zu können. Selten fand sie einen Menschen so interessant ohne viel von ihm zu wissen.
Nancy wirkte auf sie so zerbrechlich, dass es ihren Beschützerinstinkt weckte. Nancy war unnahbar doch Lea wollte hinter diese Fassade blicken. Sie war wie ein Geheimnis das sie lüften wollte.

»Lass uns aufbrechen Lea«, sagte Nancy und riss dieses Mal Lea aus ihren Gedankengängen über Nancy.
Lea zog ihre Jacke an und packte ihr Tablet in ihre Tasche und reichte Nancy ihren Mantel.
Stillschweigend gingen sie nebeneinander her. Keine wagte es etwas zu sagen. Beide waren in ihrer Gedankenwelt verloren. Jede in ihrer ganz eigenen. Es war mitten in der Nacht und die Straßen waren wie leergefegt. Nur einige wenige Straßenlaternen erleuchteten ihnen noch den Weg und bis auf ein paar Obdachlose die an den Hauswänden lagen in ihren Schlafsäcken, begegneten sie keiner Menschenseele.
Lea verspürte das dringende Bedürfnis nach Nancys Hand zu greifen. Es schien ihr, als würde Nancy im Augenblick genau diese Nähe brauchen. So richtig traute sie sich nicht und schaute immer wieder etwas verlegen auf Nancys Hand und versuchte genug Mut zu fassen um sie zu greifen.
Nancy schaute zu ihr auf, ein kurzer Blick in ihre Augen bevor sie den Kopf wieder zu Boden sank.
Dies gab ihr den Impuls nach Nancys Hand zu greifen. Sie griff sie etwas zaghaft, schaute zu Nancy rüber und wartete auf eine Reaktion.
Nancys Blick blieb zu Boden gerichtet aber sie drückte ihre Hand fest um die von Lea und ihre beiden Herzen füllten sie mit einer Wärme, die sie lange nicht mehr verspürten.

Auch Lea war schon seit vier Jahren alleine. Seit dem kümmerte sie sich nur noch um ihre Karriere. In der Liebe hatte sie bisher immer mehr Pech als Glück erfahren. Immer zog sie die falschen Frauen an und am Ende schwor sie sich immer aufs Neue, dass es dieses Mal die letzte war die ihr das Herz brach und verarbeitete ihre gescheiterte Beziehung zu einem Roman.

Kapitel 6

Mittwoch, 20.Oktober 2021

Nancy wachte auf, sie hatte so gut geschlafen wie schon ewig nicht mehr. Sie versuchte sich zu orientieren, nachts hatte sie nicht mehr viel von Leas Wohnung gesehen. Die Sonne schien durch die gelben Vorhänge hindurch und erhellte das gesamte Schlafzimmer wie an einem Frühlingsmorgen. Leas Schlafzimmer war sehr geschmackvoll und modern eingerichtet mit einem Boxspringbett, auf dem es sich fantastisch schlief, einem riesigen weißen Kleiderschrank in den sicher Kleidung einer ganzen Familie passen würde und überall stand Dekoration die dem Raum einen Hauch von Natur schenkte.

Nancy fühlte sich wie umarmt. Oder wurde sie umarmt? Jetzt erst realisierte sie, dass Leas Arm um ihre Hüfte lag und Lea sich nah an sie schmiegte. Kurz stockte ihr der Atem. War etwa letzte Nacht noch etwas passiert zwischen den beiden? Nancy kramte in ihrem Gedächtnis nach Details der letzten Nacht, konnte sich aber nur noch daran erinnern, dass sie hundemüde ins Bett fiel und sofort in einen traumlosen Schlaf glitt. Seit zwölf Jahren lag kein anderer Mensch mehr neben ihr als Catharina. Es fühlte sich merkwürdig an, merkwürdig gut.

Sie genoss Leas Wärme so sehr, dass sie keine Anstalten machte sich aus ihrer Umarmung zu

befreien, stattdessen schloss sie nochmals die Augen und wollte die Zeit anhalten.
Sie fuhr zusammen und riss die Augen auf als ihr in den Sinn kam, dass es bestimmt schon spät war und sie zur Arbeit musste. Sie hätte heute eigentlich Frühschicht gehabt. *Unmöglich. Ich kann das nicht. Ich brauche dringend eine Pause aber wenn mein Chef mich feuert, würde ich ein noch größeres Problem haben.*
Sie wägte ab, machte sich eine Pro und Kontra Liste im Kopf und kam zu dem Entschluss, dass dieser Morgen zu schön und ihr Kopf zu schwer seien, um Werkzeuge zusammen zu stecken. Sie fühlte sich beflügelt und mutig. Sie würde ihren Chef anrufen und sich erstmal krankmelden.
Lea öffnete ihre Augen und bei dem Gefühl, das sie als erstes spürte, musste sie lächeln. Nachts legte sie sich dann doch zu Nancy ins Bett, das sie ihr zuerst alleine überlassen wollte, denn sie spürte, dass es für beide das Richtige war. So schlief sie die ganze Nacht nah an Nancy gedrückt und wagte es nicht, sie auch nur einen Moment aus den Armen zu lassen. Lea schmiegte sich noch fester an Nancy und genoss ihren Duft und noch viel mehr diese unglaubliche Wärme. So sanken beide nochmal in einen ruhigen Schlaf.
Stunden später, der Vormittag war schon fast vorbei und für die meisten Menschen in der Stadt war es Zeit sich aus dem Büro auf den Weg zu machen zu ihrem Mittagslunch.

Lea wachte auf, fühlte sich noch etwas benommen. Ohne darüber nachzudenken, aus einem Reflex heraus, küsste sie Nancy in den Nacken.
Nancy öffnete lächelnd die Augen, drehte sich zu Lea herum und gab ihr einen zaghaften Kuss auf die Stirn. Jeder weiß, was ein Kuss auf die Stirn bedeutet. Es sagte mehr als alle Worte dieser Welt.
Nancy löste sich aus Leas Armen, wickelte sich die Decke um den Körper und sagte zu Lea: »ich muss leider los, danke, dass ich bei dir schlafen durfte. Ich sollte schon längst bei der Arbeit sein. Musst du eigentlich auch irgendeiner Tätigkeit nachgehen?«
Lea konnte ihren Blick nicht von Nancy abwenden, sie wollte noch mehr, mehr von ihr.
»Ja, klar, ich schreibe. Tag ein, Tag aus. Sag bloß, der Name Liane sagt dir nichts? Dann wäre ich wirklich beleidigt«, sagte Lea grinsend.
Nancy kramte in ihren Gedanken, in den Büchern die sie schon alle gelesen hatte und wie die Autoren hießen. Sie hatte kein festes Genre das sie las, mal war es ein Thriller, mal ein kitschiger Roman, auch hatte sie nicht diesen einen Autor, von dem sie alles las. Gerne kaufte sie sich Bücher von unbekannten Autoren die ihr erstes Werk veröffentlichten. Alleine schon deswegen konnte sie sich niemals an alle Namen erinnern.
»Liane, sagst du? So leid es mir tut, das sagt mir leider nichts. Vielleicht zeigst du mir eins deiner Werke? Ich lese kreuz und quer von so vielen unterschiedlichen

Autoren aber ich denke, in Zukunft wird Liane meine liebste Autorin sein«, sagte Nancy und gab Lea einen langen, innigen Kuss. Es durchfuhr beide und lies ihre Körper erzittern.

So also fühlte sich verliebt sein an, dachte Nancy. Wie von einer Wolke getragen, weit weg von allem das bedrohlich zu sein schien. Der Sonne näher denn je.

Lea konnte nicht mehr aufhören zu strahlen. Sie wünschte sich so sehr, dass es kein Traum war und wenn doch, dann möchte sie nie wieder erwachen.

»Was hältst du davon, wenn wir uns heute Abend hier bei mir treffen? Dann suche ich alle meine Werke für dich raus, vielleicht kennst du doch eins«, sagte Lea während sie sich nun ebenfalls aus dem Bett schwang und im Badezimmer verschwand, das direkt an das Schlafzimmer grenzte.

Nancy schaute ihr hinterher, eigentlich wollte sie gar nicht gehen aber sie musste noch immer ihrem Chef Bescheid geben, dass sie vorerst krank sei. Ein bisschen hatte sie Angst davor, so lange arbeitete sie dort noch nicht und sie konnte es sich nicht erlauben auch noch ohne Job dazustehen.

Doch das Verliebtsein gab ihr so viel Energie und Lebensmut zurück, dass ihr plötzlich auch diese Herausforderung viel kleiner erschien. Mit Lea zusammen könnte alles machbar sein, dachte sie oder war es die pure Naivität? Bloß nicht wieder alles kaputt denken Nancy, sagte sie in Gedanken zu sich selbst.

Nancy ging an die Badezimmertür und rief Lea zu: »ich komme später wieder und vielleicht wäre es gut, eine Telefonnummer von dir zu haben oder was meinst du?«

Lea öffnete die Tür und kam einen Schritt auf Nancy zu, zog sie an sich heran und ihre Lippen trafen sich. So wie der Horizont das Meer berührte in weiter Ferne. Er legt sich sachte darauf und sie verschmelzen zu einem ganzen vollkommenen Bild.

»Auf dem Tisch dort drüben liegen meine Visitenkarten, nimm dir eine mit dann weißt du wo du deine Freundin erreichen kannst«, sagte Lea und deutete auf den Tisch der im Raum gegenüber stand.

Hatte sie gerade „deine Freundin" gesagt? Nancy lies sich den Satz nochmals durch den Kopf gehen, jedes einzelne Wort. Ja, sie war sich sicher. Nancy wusste nicht ob es ihr zu schnell ging oder ob sie einfach nur Luftsprünge machen sollte. Sie ging ins Zimmer nebenan, es war ein Büro, super aufgeräumt und genau so modern gehalten wie das Schlafzimmer. Schlicht und hell. Manche würden es als steril bezeichnen. Nancy nahm sich eine Visitenkarte von dem Stapel auf dem Tisch und sah daneben ein Buch liegen.

Auf dem Buchcover waren dreifache Umrisse eines Gesichts einer Frau zu sehen und darüber ein schwarzer Baum, wie ein Baum des Lebens mit dem Titel **Wie das Leben spielt von Liane**.

Oh mein Gott, dieses Buch hatte sie neulich erst in der Buchhandlung gesehen auf Platz 1 der Bestseller. Da war sie schon von dem Buchcover so angetan. Fasziniert strich sie mit ihren Fingern darüber. Ich bin mit einer echten, erfolgreichen Autorin zusammen, die noch nicht weiß, dass ihre Freundin nicht mal annähernd so erfolgreich ist, ging Nancy durch den Kopf. Schon meldeten sich wieder die alten Selbstzweifel zurück, nicht gut genug zu sein und schon gar nicht für eine wie Lea alias Liane.

Plötzlich stand Lea dicht hinter ihr.

»Hey meine Süße, hast du etwa was entdeckt?«, fragte sie Nancy, dabei schlang sie ihre Arme ganz fest um sie. Nancy spürte ihren Atem an ihrem Ohr und ein Schauer von Kopf bis Fuß erfasste sie.

Nancy drehte sich um und schaute Lea tief in die Augen.

»Ich habe entdeckt, dass meine Freundin eine verdammt attraktive, wunderschöne, erfolgreiche Autorin ist mit einem Nummer eins Buch in ihrem Repertoire und leider hat meine Freundin eine nicht mal halb so erfolgreiche Freundin. Die hat nämlich noch nicht mal ihr erstes Buch fertig, geschweige denn einen Job, der genug Geld bringt, um zu überleben.«

Das war die bittere Wahrheit, die Nancy eigentlich noch für sich behalten wollte aber aus irgendeinem Grund sprudelte es nur so aus ihr heraus.

Lea verfolge jedes Wort von Nancy, wendete ihre Augen keine Sekunde von Nancys ab und gab ihr als die schönst mögliche Antwort einen innigen Kuss.
»Das spielt alles keine Rolle. Komm so schnell wie möglich wieder, ich werde hier auf dich warten«, mit diesen Worten verabschiedeten sie sich und Lea machte sich auf den Weg nach Hause.
Sie musste dringend ihr Telefon laden und ihren Chef anrufen. Dann würde sie unter die Dusche springen und über die Bücher von Liane recherchieren bevor sie wieder zu ihr ging. Oh und vielleicht sollte sie sich endlich bei Jeff melden, sie hatte ihm immer noch keine Antwort gegeben. Er machte sich sicher schon Sorgen. So wie ihre Mutter Maria und ihr Vater Eddy. Alles hatte sie in dem Trubel und sich überschlagenden Ereignissen vergessen.
Es war schon spätnachmittags als Nancy zuhause ankam.
Ihr Loft hatte sie wahrlich nicht vermisst. Sie schloss ihr Telefon an und sprang in der Zeit unter die Dusche. Wenn man diese Miniatur Nasszelle so nennen konnte. Heute gab es sogar warmes Wasser, das war hier im Haus zweifelsohne mehr Luxus als Standard.
Umso mehr genoss sie den heißen Wasserstrahl auf ihrer Haut und schweifte in Gedanken ab zu Lea.
Zumindest bis ihr Telefon sie aus den Gedanken riss. Wie immer zur falschen Zeit.

Sie legte sich ein Handtuch um und lief in die Küche dabei tropfte sie den ganzen Boden voll und hinterließ eine Wasserrutsche auf der sie fast ins Schleudern kam. Das Telefon verstummte und sie sah, dass ihr Chef sie angerufen hatte. Mist, sie wollte ihn doch zuerst anrufen. Er war sicherlich schon außer sich vor Wut.
Sie drückte auf die Rückruftaste und bevor sie überhaupt bemerkte, dass jemand abgehoben hatte, hört sie ihren Chef schon durch den Hörer schreien:
»Frau Roberts, wo zum Teufel stecken Sie denn? Ihre Schicht wäre eigentlich schon vorbei wenn sie denn aufgetaucht wären. Aber niemand hat sie heute bisher an ihrem Arbeitsplatz gesehen.«
Nancy schnürte es die Kehle zu, sie war überrumpelt und ihr wurde ganz anders.
»Hallo Herr Goldwing, bitte entschuldigen Sie. Ich bin krank und ich habe mich so schlecht gefühlt, dass ich wieder eingeschlafen bin. Ich wollte Sie schon längst angerufen haben. Ich werde es heute nicht mehr schaffen und wahrscheinlich auch die kommenden Tage nicht«, sagte Nancy mit unsicherer Stimme und erwartete schon die nächste Ansage. Stille. Nur ein leichtes Rauschen war zu hören.
»Verstehe Frau Roberts, das nächste Mal rufen Sie mich bitte sofort an. Melden Sie sich wenn es bei Ihnen wieder geht damit wir wissen, wann wir Sie wieder einplanen können. »Auf Wiederhören«, mit diesen Worten legte Nancys Chef auf und hinterließ Nancy

überrascht von den netten Worten, dastehen wie eine Statue.
Das wäre dann geschafft, sie hatte es sich schlimmer vorgestellt. Nancy ging zurück ins Badezimmer, wischte auf dem Weg dorthin die Pfützen auf und stylte sich für den Abend mit Lea. Heute durfte es eine besonders enge schwarze Jeans sein mit einer blauen, hautengen Bluse an der sie die obersten Knöpfe geöffnet lies. Sie betonte gerne ihre sportliche Figur.
Jetzt noch schnell eine Nachricht an Jeff und ihre Eltern verschicken, dann konnte sie mit der Recherche beginnen.

Hallo Jeff
entschuldige meine späte Antwort. Ich werde die Tage in der Bar vorbeikommen und dir alles erzählen. Du wirst nicht glauben was alles passiert ist.
Gruß Nancy

Hallo Dad,
danke für deine Anteilnahme. Ich komme euch bald besuchen.
Deine Nancy

Hallo Mum,
ich komme demnächst mal zum Essen. Spätestens an deinem Geburtstag.
Nancy

Alle Nachrichten abgetippt und versendet. So, jetzt endlich war es an der Zeit mehr über die Autorin, die jetzt ihre Freundin war, zu erfahren.
Sie setzte sich auf den Boden, lehnte sich an ihr Bett und befragte die Suchmaschine im Internet nach Liane. Sie stieß auf ihre Autoren Homepage, dort gab es einen Onlineshop wo all ihre Bücher zu bestellen waren. Nancy war ganz schön beeindruckt als sie sah, dass mittlerweile über 20 Bücher von Lea veröffentlicht wurden. Soweit sie das auf die Schnelle alles überschauen konnte, schrieb Lea mindestens zwei pro Jahr in manchen Jahren waren es sogar vier. Bei vier Büchern im Jahr musste sie ja nonstop geschrieben haben, dachte Nancy.
Sie zog den Hut vor ihr. Sie schaffte all das, was Nancy sich für sich selbst wünschte und woran sie doch immer wieder kläglich scheiterte.
Aber wieso erfreute sie sich jetzt nicht einfach an ihrem Glück mit Lea. Nach der Trennung von Catharina war sie fest davon überzeugt nie wieder eine passende Frau für sich zu finden und während der eine Teil ihres Lebens in Scherben lag, blühte der andere geradezu auf.
Nancy beendete ihre Recherche damit sie endlich zu Lea konnte. Auf dem Weg nach unten sollte sie mal wieder in den Briefkasten schauen. Es muss mindestens zwei Wochen her sein, dass sie nachgeschaut hatte. Sie hatte keinen Nerv übrig gehabt für die Rechnungen und Mahnungen die haufenweise

in ihren Briefkasten flatterten, wenn sie nicht nachschaute, wusste sie wenigstens nichts davon aber sie ahnte es und alleine das bereitete ihr manchmal eine schlaflose Nacht.
Wie es in so alten Häusern üblich war, befand sich der Briefkasten hinter der Haustür im Gang zum Treppenhaus. Es waren alte, rostige, grüne Briefkästen.
Manche ließen sich nicht mal mehr schließen. Darum lag manchmal die Post ihrer Nachbaren in ihrem Briefkasten.
Sie ging den ganzen Stapel durch, das meiste war Werbung. In mitten der Prospekte sah sie einen Brief, Absender war ihr Vermieter. Das konnte nichts Gutes bedeuten, sonst rief er sie immer an wenn etwas war.

Sehr geehrte Frau Roberts,

hiermit kündige ich das Mietverhältnis mit Ihnen zum 01.12.2021 fristgerecht. Bitte begleichen Sie bis dorthin die ausstehenden Mietabschläge.

Freundlich grüßt Sie
Max Wells

Nancy wurde blass und der Brief glitt ihr aus der Hand.Das bedeutete, sie hatte knappe sechs Wochen Zeit um eine Wohnung zu finden und das mit einem der schlecht bezahltesten Jobs in der Stadt. Wer würde ihr denn so eine Wohnung geben.

Hatte sich denn alles gegen sie verschworen. Am liebsten hätte sie geschrien, getobt und geweint. Doch das nützte ihr jetzt nichts, sie müsste sich schleunigst einen Plan B einfallen lassen. Sonst stünde sie bald ohne ein Dach über dem Kopf da und wenn es noch blöder für sie käme auch ohne Job. Lea würde kaum so eine Versagerin als Freundin haben wollen und dann wäre sie eine einsame Obdachlose. Sie musste lachen um nicht zu weinen.
Sie hob den Brief auf und sortierte die Werbeprospekte zusammen um diese dann zu entsorgen. Da fiel ihr zwischen den Prospekten ein loser, handgeschriebener Zettel auf.

Ich nähte mir ein Bettbezug aus der Zeit die wir hatten!

Mehr stand da nicht aber sie war sich sicher, es war die Handschrift von Catharina. Sie wusste nicht was schlimmer war, die Kündigung von ihrem Vermieter oder dieser Zettel, der augenscheinlich von ihrer Ex Freundin war, jetzt wo sie eine neue Partnerin hatte, nachdem sie ihr monatelang hinterher geweint hatte und nun bereit war abzuschließen.
Diese Zeile auf dem Zettel, es war nicht irgendeine Zeile, es war eine Textzeile aus einem Song den Catharina und Nancy immer gemeinsam hörten.
Das konnte kein Zufall sein und niemand konnte es wissen, niemand außer Catharina.

Aber wieso sollte sie das tun nachdem sie sie hat eiskalt sitzenlassen. Wieso kam sie nicht einfach und klingelte oder rief an. Sie hatte ja heraus bekommen wo Nancy nun wohnte. Nancy konnte sich keinen Reim darauf machen aber es lies ihr auch keine Ruhe.
Sie steckte den Brief und den Zettel in ihre Handtasche und entsorgte den anderen Kram.
Auf dem Weg zu Lea schaute sie jeden Menschen auf der Straße an. Heute waren die Straßen besonders voll, in der Stadt war heute lange Einkaufsnacht. Alle Läden hatten bis Mitternacht auf. Sie dachte, wenn Catharina am Haus war, dann würde sie irgendwo in der Gegend wohnen und sie würde sie irgendwann treffen wenn sie nur immer nach ihr Ausschau hielt.
Sollte Catharina ihr nicht egal sein, jetzt hatte sie Lea und vor allem hatte sie mit ihr und bei ihr ein gutes Gefühl.
Doch sie wollte Antworten, um dieses Kapitel schließen zu können.

Kapitel 7

Mittwochabend, 20.Oktober 2021

Nancy traf bei Lea ein. Lea empfing sie mit offenen Armen im Türrahmen stehend, strahlend und verdammt sexy angezogen, stellte Nancy fest. Eine schwarze, enge Stoffhose, eine rote Bluse die ihrem Dekolleté schmeichelte und dazu Schwarze Schuhe, die aussahen, als könne man darauf keinen Schritt laufen aber sie passten zu Lea.
Nancy wollte sich auf keinen Fall anmerken lassen, dass sie eigentlich gerade mit einem großen Problem zu kämpfen hatte und noch dazu ihre Ex wieder aufgetaucht war.
Nancy setzte ein Lächeln auf und lief geradewegs in Leas Arme. Lea umarmte sie so sehr, dass Nancy kaum noch Luft bekam. Wieviel Liebe konnte man in eine Umarmung stecken, fragte sich Nancy und schmunzelte. Es war zu früh um von Liebe zu sprechen aber es fühlt sich schon ein bisschen so an. Es fühlte sich richtig an und das sollte ihr die Kraft geben, diese zermürbende Zeit ihres Lebens zu überstehen.
»Komm rein, ich habe schon sehnsüchtig auf dich gewartet«, flüsterte Lea ihr ins Ohr.
Nancy schaute sich in Leas Wohnzimmer um. Darin stand ein riesiges hellgraues Sofa, ein großer Flachbildfernseher hing an der Wand gegenüber und ein offener Kamin zusammen mit dem Parkettboden

gaben dem Raum seine Wärme. Es war in hellen und dunklen Grüntönen dekoriert. Über dem Sofa hing eine Auszeichnung ihres Bestsellers. Es war alles so viel schöner als bei Nancy Zuhause. Selbst als sie noch mit Catharina zusammen lebte, hatten sie es nie so schön.

Lea hatte in der Zwischenzeit Getränke aus der Küche geholt und setzte sich in eine Ecke des Sofas. Nancys Augen waren fasziniert von dieser Frau.

Ihr markantes Gesicht, die blauen, strahlenden Augen in denen sie sich so gerne verlor und ihre freche, blonde Kurzhaarfrisur ergaben ein perfektes Gesamtbild. Zumindest war es für Nancy perfekt.

Nancy setzte sich zu Lea, so, dass sie sie weiter anschauen konnte.

»Lea, es ging alles so schnell. Ich liebe es mit dir aber wir wissen so wenig voneinander. Ich war vorhin auf deiner Homepage um mehr zu erfahren. Wirklich beeindruckend was du schon alles geleistet hast aber weißt du was ich nicht herausgefunden habe und ich denke, als deine Freundin sollte ich das unbedingt wissen. Wie alt bist du überhaupt?« Nancy kam sich blöd vor bei der Frage. Wer weiß denn von seiner Partnerin nicht wie alt sie war.

Natürlich musste Lea bei der Frage schmunzeln.

»Ich weiß aber wie alt du bist und jetzt fragst du dich bestimmt woher ich das weiß. Aber um auf deine Frage zurück zu kommen, ich bin 32 Jahre jung also so viel trennt uns nicht, ich hoffe, das ist kein Problem für dich?«

Nancy strahlte Lea an, denn sie registrierte zuerst nicht, dass Lea anscheinend mehr Informationen über sie hatte als sie selbst über Lea hatte und das obwohl Nancy ja in keinen sozialen Netzwerken zu finden war.

»Das ist für mich überhaupt kein Problem, ich steh auf jüngere. Aber woher weißt du mein Alter? Ich kann mich nicht daran erinnern, dass wir darüber schonmal gesprochen hatten.«

»Ganz einfach. Ich habe genauso recherchiert wie du, ein zweites Mal, um genau zu sein und ich habe deine Homepage entdeckt«, sagte Lea und Nancy hielt es erst für einen Scherz. Irritiert erzählte Nancy Lea, dass sie überhaupt keine eigene Homepage hatte. Sie wisse nicht mal wie man sowas machte und was sollte dort überhaupt über sie stehen. Über sie gab es nichts Aufregendes zu schreiben. Sie führte ein langweiliges Leben und habe nichts worauf sie stolz sein könne.

Diese Information wiederum brachte Lea ganz durcheinander, sie wusste doch was sie gesehen hatte und wieviele Nancy Roberts konnte es geben die genau so aussahen. Völlig unmöglich, dass das ein Irrtum war.

Lea holte ihr Tablet und rief nochmals die Homepage auf die vermeintlich von Nancy sein sollte.

Tatsächlich, ein Bild von Nancy war auf der Startseite zu sehen mit allen Daten und Fakten über sie. Angepriesen als die nächste Überflieger Autorin. Was für ein Witz. Wie konnte das denn sein.

»Ich war das nicht Lea, ich habe diese Seite noch nie gesehen, geschweige denn sie erstellt«, schrie Nancy außer sich vor Wut. Doch Lea konnte ja nichts dafür, sie war nur die Entdeckerin dieser Seite.
Irgendjemand, der viele Informationen über sie hatte, musste das getan haben. Doch wozu das Ganze? Kaum ein Mensch kannte Nancy so gut, dass er hätte so viele Informationen über sie haben können. Niemand kam in Frage außer Ash und Catharina und beiden traute sie das nicht zu.
Lea versuchte Nancy zu beruhigen in dem sie sich näher zu ihr setzte und ihre Hand auf Nancys Schulter legte.
»Süße, mach dir keine Sorgen. Es steht nichts Negatives über dich drin, ganz im Gegenteil. In dem Fall muss es mehr eine Art Fanseite sein. Es muss jemanden geben, der sehr viel von dir hält und möchte, dass es die ganze Welt erfährt. Sieh es positiv.«
Nancy schaute Lea in die Augen und entdeckte in ihnen so viel Zuneigung. Sie beruhigte sich allmählich und lies sich in Leas Arme sinken.
»Du hast recht. Wahrscheinlich kann ich sowieso nichts dagegen unternehmen. Ich wüsste nur zu gerne, wer das war. Ist es okay für dich, wenn wir heute Abend einfach hier bleiben? Mir ist nicht sonderlich nach Weggehen zu mute.«
»Aber sicher doch. Ich hatte sowieso nicht vor mit dir heute weg zu gehen. Ich dachte wir nutzen die Zeit uns besser kennenzulernen, mehr voneinander zu

erfahren und genießen unsere Zweisamkeit. Sowas hatte ich schon so lange nicht mehr und mit dir ist es schöner denn je.«

So lagen sie sich in den Armen und sprachen über ihre Eltern, ihre Kindheit und ihren Werdegang. Nancy lies Lea den Vortritt, denn ihr Lebenslauf war ja nicht so prall gefüllt. Ihre Kindheit war das Grauen. Nun gut, das Grauen war übertrieben aber eine erfüllte Kindheit sah anders aus. Sie lebte mit ihren Eltern auf dem Land in einem zweitausend Seelendorf in dem nie was los war, selbst andere Kinder gab es so gut wie keine. Die Nachbarschaft war im Schnitt uralt und alle die Kinder bekamen, zogen nach und nach näher an oder in die Stadt. Das änderte sich für Nancy erst als Teenager.
Ihr Vater bekam einen anderen Job und sie zogen direkt an den Stadtrand. Nach dem Schulwechsel lernte Nancy dann schon in den ersten Tagen Ashley kennen und seit dem gab es für sie keinen wichtigeren Menschen bis sie mit Mitte Zwanzig Catharina kennenlernte. Ihre erste Freundin. Sie hatte davor immer wieder was mit Jungs aus ihrer Schule aber es fühlte sich für sie nie so an wie für die anderen Mädchen in ihrer Klasse. Sie verstand den ganzen Aufstand gar nicht. Wenn einer der Jungs meinte Schluss machen zu müssen, dann war es eben so.
Die Mädchen aus ihrer Klasse heulten dann immer in jeder Schulpause, das empfand sie als ganz schön nervig und war für sie nicht nachvollziehbar. Sie ging

dann mit Ash immer hinter das Schulgebäude um heimlich zu rauchen.
Auch nach der Schule war sie ziemlich planlos was ihr weiteres Leben anging. Sie begann eine Ausbildung als Steuerfachangestellte in der Kanzlei in der auch ihre Mutter halbtags arbeitete. Sie mochte diese Arbeit nie. So brach sie im zweiten Lehrjahr gegen den Willen ihrer Eltern ab. Danach jobbte sie mal als Servicekraft in einem Hotel, ein anderes Mal füllte sie Regale in einem Supermarkt auf. Sie wollte schon immer etwas Großes erreichen doch als dann Catharina in ihr Leben trat, war sie ihre höchste Priorität. So musste sie sich nicht mehr ständig mit sich selbst auseinandersetzten und war doch zufrieden, denn sie glaubte den einzig richtigen Menschen für sich gefunden zu haben und das war ihr am Ende des Tages am Wichtigsten. Sie vertrat schon immer die Meinung, dass Geld niemals die Liebe und das Miteinander ersetzen konnte.
Das komplette Gegenteil war das bisherige Leben von Lea.
Sie wuchs in einem Einfamilienhaus in Randlage der Stadt auf, in einer Gegend die dafür bekannt war, dass sich dort kein Durchschnittsarbeiter ein Haus leisten konnte. Ihre Eltern waren beide sehr auf ihre Karriere fokussiert.
Ihre Mutter war eine erfolgreiche, angesehene Anwältin und ihr Vater leitete eine Firma, die er in jungen Jahren selbst gegründet hatte und die sich auf den Export von Spezialwerkzeug spezialisiert hatte.

Lea hatte so die Möglichkeit, sich auf das zu konzentrieren was sie sich von ihrem Leben wünschte. Niemand zwang sie irgendeine Arbeitsstelle anzunehmen, die sie sowieso nicht weiterbrachte und ihre Eltern hatten genug Geld um ihr ihre zahlreichen Schriftsteller Kurse zu bezahlen.

Nancy und Lea stammten aus völlig unterschiedlichen Welten und bis heute hatte sich daran nichts geändert.

Immer wieder fragte sich Nancy ob Lea sie immer noch so toll fände wenn sie wüsste an welchem Punkt im Leben sie gerade stand.

Nachdem sie ihrer beider Leben preisgegeben haben, zumindest oberflächlich, wollte Nancy unbedingt in Leas Bestseller reinlesen. Lea befeuerte den Kamin, das Feuer tauchte den Raum in warmes Licht und verströmte eine besonders angenehme Wärme. In Nancys Wohnung wurde es selten wirklich warm. Die alten Holzfenster wiesen so große Spaltmaße auf, dass sie sie hätte auch offen lassen können. Als sie einzog war es noch warm, jetzt beheizte sie mehr die Umwelt als ihre Wohnung. Bestimmt würde sie nach dem Auszug auch noch eine gehörige Nachzahlung bekommen.

Nancy las die ersten 50 Seiten von Leas Buch während Lea sie dabei keine Minuten aus den Augen lies.

Sie studierte ihre Mimik und mit jedem Blick verspürte sie ein Gefühl des Angekommen seins. Nichts Tiefgründiges wusste sie von dieser Frau auf ihrem

Sofa und doch hatte sie sie seit dem ersten Augenblick im Café gefesselt.
Nancy legte das Buch beiseite, rutschte ein Stück näher zu Lea, das Kaminfeuer malte die verschiedensten Schatten an die Wände, sie nahm ihre Hand und sagte: »es ist der Schönste Anfang, den ich je gelesen habe« und fügte mit einem sanften Lächeln auf den Lippen hinzu »und es ist der schönste Anfang den ich je erlebt habe.«
Lea verstand genau was Nancy meinte, sie legte ihre Hand auf Nancys Wange und hauchte ein »es geht mir genauso« und küsste sie mit plötzlich aufflammender Leidenschaft. Nancy wusste kaum was da geschah, noch nie hatte sie solche Gefühle in einem so starken Ausmaß, dass ihr Kopf sich nicht mehr meldete und sie es einfach geschehen lies. Sie liebten sich in dieser Nacht nicht nur einmal. So schliefen sie aneinander geschmiegt auf dem Sofa ein, in so einer vertrauten Zweisamkeit wie es sonst nur Paare kannten, die schon Jahre miteinander verbrachten.

Nancy wachte in den noch dunklen Morgenstunden auf. Sie musste unbedingt auf die Toilette, wollte aber Lea nicht wecken, weswegen sie versuchte, den Weg im Dunkeln zu finden.
Gar nicht so einfach in einer fast fremden Umgebung. Der Kamin war mittlerweile erloschen und nur etwas Glut glühte noch. Sie stieß sich den Fuß am Tischbein und musste sich ein lautes Fluchen verkneifen. Sie biss

sich auf die Lippen und humpelte weiter Richtung Badezimmer. Dabei warf sie irgendetwas um. Sie verharrte in ihrer Bewegung und schaute in Leas Richtung ob sie sich bewegte.
Lea schien einen tiefen Schlaf zu haben. Da Nancy nicht sah, was sie da umgeworfen hatte, beschloss sie, es so liegen zu lassen. Hoffentlich hatte sie nichts kaputt gemacht. Wahrscheinlich war es nur ihre eigene Handtasche.
Erleichtert kehrte sie zurück in Leas Arme, drückte sich ganz nah an sie und fiel wieder in einen ruhigen, tiefen Schlaf.

Kapitel 8

Donnerstagmorgen, 21.Oktober 2021

Lea wachte als Erste auf. Draußen war es noch dämmrig und es sah grau und nass aus. Bestes Wetter um den ganzen Tag liegenzubleiben, dachte sie. Doch sie wollte Nancy mit frischen Brötchen und Croissants überraschen. Sie gab Nancy einen Kuss auf die Wange und stieg über sie drüber, in Zeitlupe, um Nancy auch ja nicht zu wecken.

Sie hoffte, sie würde es schaffen, bevor Nancy aufwachte.

Lea ging ins Badezimmer für eine schnelle Katzenwäsche und schlüpfte in eine lässige, bequeme Hose und einen Hoodie.

Die nächste Bäckerei war nur eine Straße weiter.

Sie lief ins Esszimmer, das sich im selben Raum befand wie das Wohnzimmer. Es war alles sehr offen gestaltet. Sie mochte das besonders gerne.

Auf dem Esstisch lies sie für gewöhnlich ihr Portmonee liegen.

Auf dem Boden, neben dem Esstisch lag Nancys Handtasche. Umgefallen und halb ausgeleert. Komisch, dachte Lea, die musste wohl runtergefallen sein. Sie wusste nicht so recht, ob sie sie liegen lassen sollte, denn es ging sie nichts an und sie wollte nicht in ihren Sachen herumschnüffeln oder ob sie die Sachen

nicht einfach wieder in die Tasche packen sollte ohne diese näher zu begutachten.
Blödsinn, sie waren doch ein Paar, da wird es doch wohl kein Problem sein, wenn ich weiß was in Nancys Tasche ist.
Lea kniete sich über die herausgefallenen Sachen, stellte die Tasche auf und sammelte die Sachen auf. Sie staunte immer wieder wieviel Kram manche Frauen in ihrer Tasche hatten. In ihrer eigenen war immer nur ihr Tablet, ohne ging sie nie aus dem Haus und ihr Telefon sowie Portemonnaie, mehr brauchte sie nicht. Nancy handhabte das anders. Telefon, Haargel, Parfüm, Deodorant, Portemonnaie, Schlüssel, Einkaufstüten, Kaugummis… ja, Nancy hatte eine wirklich geräumige Handtasche.
Post, sie schleppte anscheinend auch noch ihre Post mit sich rum. Es ging Lea nichts an und normalerweise würde sie niemals Briefe anderer Menschen lesen auch nicht die ihrer Freundin aber dieses Mal reizte es sie zu sehr, da Nancy auch immer so geheimnisvoll tat.
Das Kuvert war schon mal geöffnet worden. Lea holte den Brief heraus, vergewisserte sich mit einem schnellen Blick zum Sofa, dass Nancy noch schlief. Dabei fiel auch noch ein Zettel aus dem Kuvert, es war handgeschrieben, nur eine einzige Zeile ohne Namen, mit einem Satz, auf den sie sich keinen Reim machen konnte. Er kam ihr nicht bekannt vor aber je länger sie den Satz anschaute umso klarer wurde ihr, dass er von

Nancys Ex Freundin stammen musste. Wer würde sonst so etwas schreiben.
Es versetzte ihr einen Stich. Wieso trug sie das mit sich rum wenn sie damit abgeschlossen hatte? Lea wollte nicht nur ein Lückenfüller sein. Sie wusste wie es ist, wenn die Freundin unverhofft wieder zu ihrer alten Flamme ging. Sie hatte aufrichtige Gefühle für Nancy und bis gerade eben dachte sie das auch über die Gefühle von Nancy für sie.
Sie legte den Zettel erstmal wieder in das Kuvert und las den Brief, vielleicht war das auch ein Brief ihrer Ex Freundin und sie hatte das Recht darauf es zu wissen.
So war es nicht, was sie da zu lesen bekam stimmte sie genauso traurig wie der kleine Zettel. Nancy hatte nichts in der Art auch nur mit einer Silbe erwähnt.
Natürlich konnte Lea nicht erwarten, dass Nancy ihr schon vertraute und alles mit ihr teilte aber sie könnte es wenigstens versuchen.
Auch wenn sie es bis zu einem gewissen Punkt verstehen konnte, war sie trotzdem verletzt.
Sie brauchte jetzt frische Luft um wieder klar denken zu können.
Lea schlenderte durch die Straßen, sie lief viel weiter als es notwendig gewesen wäre, denn an der Bäckerei war sie schon längst vorbei aber sie brauchte diese Zeit für sich. Sie musste sich überlegen wie sie weiter vorgehen wollte ohne Nancy vor den Kopf zu stoßen.

Nancy streckte sich und tastete nach Lea, doch der Platz neben ihr war leer. Sie setzte sich auf und ließ ihren Blick durch das Zimmer schweifen. Von Lea war nichts zu sehen und auch im Badezimmer hörte sie nichts.

Sie schaute auf den Beistelltisch und dem Esstisch nach ob Lea eine Nachricht für sie hinterlassen hatte. Fehlanzeige, nichts. Ihr Blick traf auf ihre Handtasche, die stand auf einem Stuhl am Esstisch. Sie hätte schwören können, dass sie sie letzte Nacht umgeworfen hatte als sie aufgestanden war. Blöderweise hatte sie sie nämlich auf dem Boden stehen lassen.

Sie holte ihr Telefon heraus aber auch da war gähnende Leere. Lea hatte wahrscheinlich nicht mal ihre Telefonnummer.

Nancy ging ins Badezimmer, machte sich frisch und zog ihre Kleidung an, die verstreut im Wohnzimmer auf dem Boden lag.

Sie hatte das dringende Bedürfnis nach einem Kaffee. Ihre Gedanken drehten sich pausenlos um die letzte Nacht.

So eine Nacht hatte sie noch nie erlebt und sie wollte mehr davon. Es sollte niemals aufhören.

Überfordert stand sie vor der Kaffeemaschine, die mehr Knöpfe hatte als eine Schaltzentrale. Wie zum Teufel spuckte diese Maschine einen Kaffee aus. Sie wollte nichts kaputt machen also ließ sie es lieber bleiben, Lea würde sicher bald wieder auftauchen.

Sie ging zum Sofa und beschloss so lange in Leas Roman weiterzulesen.
Sonst würde sie wieder nur anfangen zu grübeln wo sie in sechs Wochen wohnen sollte und ob dieser dubiose Zettel wirklich von Catharina war.

Lea war mittlerweile durchgefroren. Ende Oktober und es war so bitterkalt wie es sonst erst im Dezember oder Januar üblich war. Es würde sie nicht wundern, wenn bald der erste Schnee kam.
Sie holte frische, noch warme Brötchen, Croissants und ein Brot und machte sich auf den Rückweg.
Sie müsste Nancy darauf ansprechen, sie hielt es nicht aus ihren Fund für sich zu behalten. Vielleicht gab es für alles eine logische Erklärung und sie hatte nur zu wilde Gedanken entwickelt. Was man ihr nicht verübeln konnte, wenn man bedachte, dass ihre Ex Frau Darleen, ja sie war mal verheiratet gewesen, mit einem Mann durchgebrannt war. Das ist mittlerweile über vier Jahre her aber seit dem hatte sie es nie wieder geschafft, einer Frau zu vertrauen. Sie hatte danach zwar immer wieder mal eine Romanze aber nie etwas ernstes. Nach der Trennung schwor sie sich, nie wieder eine feste Beziehung zu führen und nur noch für sich zu leben und von einer Heirat wollte sie nichts mehr hören. Sie konnte denselben Fehler nicht zweimal im Leben machen.
Nancy hörte den Schlüssel im Schloß herumdrehen und eilte zur Wohnungstür.

»Guten Morgen, da bist du ja endlich«, sagte Nancy und schlang ihre Arme um Leas Hals.
Nancy verspürte ein Unbehagen. Es lag etwas Erdrückendes in der Luft. Lea löste sich wortlos aus ihrer Umarmung und legte die Brötchentüte auf dem Esstisch ab. Eigentlich wollte sie gar nicht so kalt zu Nancy sein, gleichzeitig schaffte sie es nicht dort weiter zu machen, wo die beiden letzte Nacht aufgehört hatten.
Lea stützte sich mit den Händen auf dem Esstisch ab, mit dem Rücken zu Nancy und schaute auf deren Handtasche.
Nancy stand noch immer an der Tür und verstand nicht was hier gerade für ein Film gespielt wurde. Sofort kamen Zweifel auf. War sie doch nur die für die eine Nacht und Lea wollte sie los werden. Das wäre eine Erklärung für ihr seltsames, eisiges Verhalten. Kurz fühlte sie sich wie im Endstadium ihrer Beziehung mit Catharina.
Nancy ging zögernd zu Lea, stellte sich hinter sie und legte ihre Hände auf die Schultern und drehte Lea zu sich.
»Lea, stimmt was nicht?«, Nancys Stimme bebte. Sie hasste es, dass sie so nah am Wasser gebaut war und es selten verbergen konnte.
Lea schaute sie nicht an, sie schaute starr auf ihre Füße und überlegte, welches die richtigen Worte waren. Denn so gut sie auch schreiben konnte, reden war nicht ihre Stärke. Sie legte sich in Gedanken immer alles

zurecht aber wenn sie es dann aussprechen sollte, blieb sie entweder stumm oder sie formulierte es am Ende ganz anders und brach nicht das rüber, was sie wollte. Das hatte sie schon oft frustriert.
Sie wollte Nancy nicht verletzten und auch wollte sie nicht, dass Nancy dachte, sie würde ihre Tasche durchwühlen.
Das Schweigen zwischen ihnen bekam eine unendliche Schwere. Je mehr Zeit verging in denen keine von ihnen sprach desto schwieriger wurde es, das erste Wort zu sprechen.
Nancy ahnte Schlimmes und so füllten ihre Augen sich mehr und mehr mit Tränen. Diese Stille brachte sie noch um, sie machte ihr Angst. Ihre Lippen fingen an zu zittern. Sie wollte auf keinen Fall vor Lea weinen, sich verletzlich und schwach zeigen. Sie biss sich auf die Lippe und drehte ihr Gesicht von Lea weg.
Lea war so beschäftigt mit ihrem Gedanken Wirrwarr, dass sie kein Zeitgefühl mehr hatte. Hatten sie nun zwei Minuten geschwiegen oder waren es vielleicht schon fünfzehn Minuten?
Sie wusste es nicht aber als sie ihren Kopf hob, sah sie wie eine Träne Nancys Wange herunter kullerte und es brach ihr schier das Herz.
Genau das wollte sie vermeiden und wieder Mal hatte sie es nicht geschafft, nur weil sie nicht ausspuckte was in ihrem Kopf schon längst zurecht gelegt war. Dass Nancy so traurig wegen ihr war, bewegte sie dann aber doch dazu, das Schweigen zu brechen.

»Nancy, es ist nicht so wie du denkst.« Ok, das war der blödeste Anfang für so ein Gespräch den es gab.
»Es tut mir leid dich das fragen zu müssen. Der Inhalt deiner Tasche lag heute morgen auf dem Boden verstreut und glaub mir, es war nie meine Absicht zu schnüffeln oder so aber ich habe die Sachen wieder eingeräumt und dabei habe ich dieses Kuvert gesehen und auch wenn ich sowas normalerweise nie tun würde, so habe ich den Brief gelesen und ebenso den Zettel der drin war.« Lea machte eine Pause und traute sich kaum den Blick von Nancy einzufangen. Sie fuhr fort »also ist der von deiner Ex Freundin? Wieso hast du mir nichts gesagt? Was läuft noch zwischen euch und wieso sagst du mir nicht, dass du aus deiner Wohnung gekündigt wurdest?«
Die Worte strömten nur so aus ihr heraus. Sie war erleichtert auf der einen Seite und auf der anderen Seite hatte sie Angst vor der Antwort. Oder Nancy würde so wütend auf sie sein, dass es vorbei war bevor es richtig beginnen konnte.
Nancy versuchte das Gesagte zu sortieren. *Das erklärte natürlich alles*. Sie kam wieder einen Schritt auf Lea zu, wischte sich die Tränen aus dem Gesicht, nahm ihre Hände und sagte ihr:
»Weißt du, wie froh ich gerade bin, dass du mir nicht gesagt hast, dass ich gehen könne.
Als perfekte Freundin hätte ich dir alles erzählen müssen aber das bin ich nicht und wir sind erst so kurz zusammen, ich wollte die Zeit mit dir genießen anstatt

Probleme zu besprechen. Der Brief und der Zettel waren gestern in meinem Briefkasten. Mit meiner Ex läuft überhaupt nichts. Sie ist vor über drei Monaten gegangen und seitdem habe ich nichts mehr von ihr gehört. Nichts bis zu diesem Zettel, von dem ich nicht mal weiß ob er tatsächlich von Catharina ist, aber ich gehe davon aus. Es sieht nach ihrer Handschrift aus und der Satz stammt aus einem Song den wir beide gerne mochten. Aber es ist mir egal. Ich möchte so gerne mit dir zusammen sein und der Brief von meinem Vermieter war für mich ein riesiger Schock. Ich wollte es dir erzählen sobald ich eine Lösung dafür habe.«

Lea fiel ein Stein, nein, ein ganzer Berg vom Herzen.
Sie kam sich so dumm vor. Sie schämte sich für ihr Verhalten und dass sie Nancy zum Weinen brachte.
Lea nahm Nancy in den Arm, drückte sie fest an sich und flüsterte »es tut mir unendlich leid« ins Ohr.
Sie lösten sich von einander und bereiteten gemeinsam das Frühstück vor. Sie wollten das Thema nicht zerreden. Es sollten keine dunkle Wolke über ihnen sein.
Aber Lea ging es nicht aus dem Kopf, dass Nancy bald womöglich auf der Straße stand und kein Vermieter kündigte jemandem einfach so das Dach über dem Kopf, also musste etwas vorgefallen sein. Sie hoffte, Nancy würde es ihr noch von selbst erzählen.

Nancy dachte wieder daran, dass ihre Mutter bald Geburtstag hatte. Spätesten in drei Wochen müsste sie sich also bei ihren Eltern blicken lassen. Es graute ihr davor. Sie würde zu gerne Lea mitnehmen aber das konnte sie ihr nicht antun. Sie wusste wie ihre Mutter reagieren würde, wenn sie mit einer neuen Freundin auftauchte.
Sie verwarf den Gedanken wieder und wendete sich Lea zu.
»Hättest du Lust mit mir heute Abend in die Jackson Bar zu gehen? Die Bar gehört meinem Lieblings Barkeeper in der Stadt, Jeff. Er macht immer die ausgefallensten Drink Kreationen.«
Lea überlegte kurz was sie heute noch alles erledigen musste und ihre Deadline war angesetzt auf Ende November, das musste sie auch im Auge behalten.
Sie willigte ein unter einer Bedingung: »ich muss heute unbedingt noch einige Seiten schreiben für mein neues Buch aber danach habe ich den ganzen Abend Zeit für dich, ist das okay?«
Nancy stand die Freude ins Gesicht geschrieben auch wenn sie lieber den ganzen Tag mit Lea verbracht hätte. Sie musste sich sowieso noch um eine neue Wohnung bemühen und vielleicht zog sie noch los in die Stadt und besorgte ein Geschenk für ihre Mutter Maria.
»Aber sicher ist das okay. Ich möchte doch deiner Fantasie nicht im Wege stehen. Ich habe auch noch Einiges zu erledigen. Wie du ja jetzt weißt, brauche ich

schleunigst eine neue Wohnung«, antwortete Nancy, sprang auf, nahm ihre Tasche und gab Lea einen Abschiedskuss, der Lust auf mehr machte.

Kapitel 9

Donnerstagnachmittag

Nancy eilte nach Haus, beflügelt von der letzten Nacht glich ihr Gang eher einem Tanz. Sie hatte sich selten so leicht gefühlt.

Als sie an einem Buchladen vorbei kam, beschloss sie für Lea ein ganz besonderes Exemplar zu kaufen. Eins ihrer absoluten Lieblingsbücher. Sie wusste zwar nicht ob es der Geschmack von Lea war aber sie hoffte, dass Lea es als schöne Geste annahm und vielleicht liebte sie es genau so sehr wie Nancy. Sie hatte es schon mehrfach gelesen und immer wieder entdeckte sie Passagen, die den Inhalt neu wirken ließen. Vielleicht lag es aber auch nur an ihrer Tagesverfassung, dass sie es unterschiedlich empfand.

Nancy lies das Buch als Geschenk verpacken. Währenddessen schaute sie sich die Top 10 der Neuerscheinungen an. Leider reichte ihr Geld nicht mehr um sich ein neues Buch zu gönnen. Viel lieber kaufte sie eins für Lea.

Sie konnte es kaum erwarten es ihr zu überreichen.

Lea räumte nach dem Frühstück auf und war sehr erleichtert, dass es im Großen und Ganzen nicht so war wie sie zuerst dachte. Sie hatte zu viel hineininterpretiert und unnötig die erste Auseinandersetzung provoziert.

Sie glaubte Nancy. Sie verlies sich auf ihr Gefühl und sie wollte ihr nicht misstrauen. Auch wenn sie Sorge hatte, dass Catharina sich wieder in Nancys Leben schleichen könnte. Wie stark konnten Nancys Gefühle zu ihr schon sein nach den paar Tagen. Sie würde das Thema ruhen lassen aber auch alles dafür tun, Nancy nicht zu verlieren. Als erstes musste sie sich überlegen, wie sie Nancy helfen konnte mit ihrem Wohnungsproblem. Sie wäre so verrückt und würde Nancy sofort bei sich einziehen lassen, hatte aber Angst, wie Nancy reagieren würde wenn sie den Vorschlag machte. Sie wollte sie nicht überrennen oder verschrecken aber auf die Schnelle wäre es die beste Lösung, wie sie fand. Ob Nancy das genau so sah?
»Was soll's, ich werde es ihr heute Abend anbieten, dann kann sie das für sich entscheiden«, sagte Lea vor sich hin und setzte sich auf dem Sofa mit ihrem Tablet hin und begann eifrig zu tippen. Ihre Fantasie hatte eine neue Dimension erreicht. Ausgelöst von den Gefühlen die Nancy in ihr auslöste. Sie beschrieb Farben bunter, Gefühle konnte man förmlich anfassen und ihre Hauptfiguren wurden zu besseren Menschen.

Als Nancy zuhause ankam, wusste sie zuerst nichts mit sich anzufangen. Sie hatte überhaupt keine Lust sich auf Wohnungssuche zu begeben, geschweige denn, sich nach einem besseren Job umzusehen. Beides erschien ihr wie ein unüberwindbares Hindernis.
So viel Kraft Lea ihr auch gab, es schien so ausweglos.

Sie kramte in ihrer Tasche nach ihrem Telefon. Sie wollte schauen ob die Nachricht an Ashley mittlerweile durchgestellt wurde. Kein Häkchen. Das bedeutete, dass Ash ihr Telefon nach wie vor nicht eingeschaltet hatte. Wie ein Geistesblitz schoss ihr in den Sinn, dass dieser Zettel genauso gut hätte von Ash sein können. Die Zeile würde ebenso passen und auch Ash mochte den Song gerne auch wenn er sehr melancholisch war und sie sonst eher Rock hörte und dabei manchmal vergas, dass auch noch andere Leute auf der Tanzfläche waren. Nancy musste bei dieser Erinnerung, die sie bildlich vor Augen hatte, lachen. Wie gerne würde sie die Zeit zurückdrehen und mit ihrer besten Freundin nochmal so richtig feiern gehen. Sie selbst ging nie gerne feiern aber sie tat es ab und an, Ash zuliebe.
Fertig mit dem Trübsal, dachte Nancy, das bringt mir Ash nicht zurück und wenn ich schon Ash nicht schreiben kann, so kann ich doch Lea ein paar Worte schicken, dann hätte sie auch endlich ihre Nummer.

Hallo Lea,
ich denke, du solltest die Telefonnummer deiner Freundin auch haben :-)
Treffen wir uns um 19 Uhr vor der Jackson Bar?
Sie befindet sich direkt am Einkaufscenter in der 7. Straße.
Ich werde draußen auf dich warten.
Deine Nancy

Leas Telefon meldete eine Nachricht. Das war ihr am Liebsten, sie hasste es zu telefonieren. Sie hatte mittlerweile allen Leuten in ihrem Leben klar gemacht, dass sie es erst gar nicht versuchen brauchten, sie ging meist sowieso nicht ran.
Erfreut darüber, dass die Nachricht von Lea war, schrieb sie ihr zurück:

Meine Süße,
danke, dass ich endlich die Nummer meiner Freundin haben darf. Jetzt sind wir den nächsten Schritt gegangen.
Ich werde da sein. Ich freue mich auf Dich und darauf Jeff kennenzulernen.
Deine Lea

Nancy öffnete auf ihrem Laptop die Seite mit den Wohnungsanzeigen. Es waren mehr Gesuche drin als Angebote. Die Wohnungsnot in der Stadt war spürbar. Das lies ihre Chancen noch weiter sinken. Die meisten waren viel zu teuer, was wiederum an der Mangelware lag und waren sie es mal nicht, dann waren es ebensolche Baracken wie ihre aktuelle Wohnung. Wohnraum war wirklich Luxus geworden, alleine konnte man sich kaum noch eine halbwegs vernünftige Wohnung leisten und das obwohl die meisten Haushalte Singlehaushalte waren.
Trotzdem schrieb sie zwei Vermieter per Mail an. Viel Hoffnung hatte sie nicht.

Beide Wohnungen waren in einem schlechten Zustand aber viel schlimmer als jetzt konnte es nicht werden. Wenn sie schon in ihrem Email Postfach eingeloggt war, konnte sie auch gleich ihren Maileingang checken. Dreiundzwanzig Mails waren es, davon neunzehn Newsletter und drei mit dubiosen Kreditangeboten. Als wüsste das World wide Web um ihre Lage. Eine Mail erweckte jedoch ihr Interesse.

Betreff: **Liebste Nancy**
Die Absenderadresse bestand aber nur aus einer Zahlenfolgen.
Sie lies keinen Rückschluss auf den Absendernamen zu. Auch erschien ihr die Zahlenfolge willkürlich.

17.21.28.9.12@online.com

Nancy konnte damit nichts anfangen. Vielleicht war es eine IP Adresse? Sie kannte sich mit dem ganzen Kram aber nicht aus.
Wenn sie sich mal einen neuen PC kaufte, lies sie ihn direkt im Fachhandel einrichten und schon die Sachen die der Berater ihr versuchte zu erklären, erschlugen sie regelrecht. Sie nickte immer freundlich und war froh, wenn es vorbei war.
Sollte sie die Mail öffnen? Man hörte so viel darüber wie rigoros die Hacker heut zu Tage vorgingen. Wahrscheinlich war es nur eine Spam Mail und am Ende hatte sie einen Virus auf dem Laptop oder

schlimmer noch, jemand spionierte sie aus. Weil sie davor schon immer Angst hatte, war ihre Kamera am Laptop abgeklebt.
Es reizte sie sehr die Mail zu öffnen, was sollte schon passieren, solange sie keinem Link in der Mail folgte. Catharina hatte ihr immer gepredigt, dass sie das auf keinen Fall tun dürfe, dahinter wäre immer eine Falle.
Okay, ich öffne die Mail und wenn sie einen Link enthält, lösche ich sie sofort, sagte Nancy sich in Gedanken.
Sie klickte auf den „Lesen“ Button.

Und trink‘ mir alte Wunden an
So tief und allein

Nancy starrte mit offenem Mund auf den Text.
Es war die Folgezeile von dem Zettel aus ihrem Briefkasten.
Es fühlte sich surreal an. Catharina oder Ash, eine von beiden kommunizierte mit ihr über diesen Song aber warum nur?
Nancy klickte auf Antworten.

Wer bist du?

Sie überlegte ob sie mehr schreiben sollte aber da sie nicht wusste, wer tatsächlich dahinter steckte, beließ sie es dabei und drückte auf senden.
Sie starrte den Bildschirm an ob eine Antwort rein kam. Im Sekundentakt drückte sie auf aktualisieren.

Die Mail konnte nicht zugestellt werden.

»Verdammt«, stieß Nancy aus. Es ist wie mit der Nachricht an Ash, sie wurde nicht durchgestellt. Jetzt war sie davon überzeugt, dass Ash hinter all dem steckte. Die Art und Weise war wie eine Unterschrift.

Lea hatte in der Zwischenzeit fünfundzwanzig Seiten von ihrem Manuskript abgetippt. Ihre Geschichte nahm immer mehr Gestalt an. Sie war selbst gespannt auf das Endergebnis. Denn sie überlegte sich ihre Geschichten nie vorab. Die Geschichte malte sich in ihrem Kopf während sie sie schrieb und manchmal nahmen ihre Geschichten Wendungen an, die sie selbst nie für möglich gehalten hätte.

Kapitel 10

Donnerstagabend

Lea wartete schon vor der Jackson Bar auf Nancy. Sie war hier noch nie gewesen und freute sich darauf, jemanden aus Nancys Leben kennenzulernen.
Nancy kam mit einem Stechschritt angelaufen, sie sah abgehetzt aus.
»Hey Nancy, schön, dass du da bist. Hattest du einen erfolgreichen Nachmittag?«
Nancy umarmte Lea und streckte ihr das Geschenk hin.
»Hier, für dich. Ich hoffe, es gefällt dir. Ich erzähle dir gleich alles bei einem Drink«, sagte Nancy und schaute gespannt auf Leas Reaktion.
Lea war überrascht, fand es aber eine schöne Aufmerksamkeit.
Nancy überlegte derweil, ob sie Lea von der Email erzählen sollte.
Sie wollte keinen Streit auslösen aber sie wollte Lea auch nichts mehr verheimlichen. Wenn es am Ende wieder irgendwie heraus käme, würde es ganz bestimmt Ärger geben zwischen ihnen.
»Komm, lass uns rein gehen. Ich öffne dein Geschenk drinnen und du kannst mir von deinem Tag erzählen. Ich habe auch noch etwas, das ich gerne mit dir besprechen würde«, sagte Lea und ein bisschen Nervosität machte sich in ihr breit.

Nancy nahm ihre Hand und sie betraten gemeinsam die Bar.
Jeff stand hinter der Theke und winkte ihnen zu.
»Hallo Ladys, kommt rüber, ich habe euch einen Platz freigehalten«, scherzte Jeff. Er war sichtlich überrascht als er sah, dass Nancy und Lea Händchen haltend herein kamen, wollte aber nicht mit der Tür ins Haus fallen. Nancy hatte nichts von einer neuen Freundin erzählt und sie hatte sich für heute Abend auch nicht angekündigt.

Nancy und Lea setzten sich an die Bar auf Nancys Stammplatz. Nancy stellte Jeff Lea vor. Er sah in Nancys Gesicht wie gut es ihr damit ging. Alles andere war erstmal nicht so wichtig.
»Aber wo ist Ash?«, fragte Jeff.
Nancy überlegte kurz ob sie ihm alles erzählen sollte, behielt es dann aber lieber erstmal für sich. Zuerst würde sie Lea alles erzählen und dann mit Jeff unter vier Augen sprechen.
»Ach, lange wirre Geschichte. Ich werde sie dir bei Gelegenheit erzählen. Heute möchte ich mich damit nicht auseinandersetzen«, sagte Nancy und winkte ab.
Lea machte diese Antwort stutzig. Hatte Nancy noch irgendwelche Geheimnisse? Wollte sie es nur nicht erzählen, weil sie dabei war?
Nancy forderte Lea dazu auf, ihr Geschenk zu öffnen und fing an ihr von ihrer erfolglosen Wohnungssuche zu berichten. Die Email erwähnte sie zunächst nicht.

Lea schien sich über das Buch aufrichtig zu freuen. Sie hatte es noch nicht gelesen und noch schöner fand sie, dass es Nancys Lieblingsbuch war.
Jeff hatte ihnen zwei Drinks gemischt die giftgrün waren, zog sich aber dann zurück, um die beiden in Ruhe zu lassen. Die Bar war voll und er hatte alle Hände voll zu tun. Sein Mitarbeiter Paul war mal wieder krank und Jeff musste das Abendgeschäft alleine stemmen.

Lea sprach sich selbst Mut zu. Je eher sie es hinter sich brachte umso eher konnte sie sich wieder entspannen. Sie hoffte nur, sie würde den Abend nicht zerstören.
»Nancy, ich habe heute auch nachgedacht über die Sache mit deiner Wohnung. Ich weiß es ist super früh und es ist nur ein Vorschlag und du kannst in Ruhe darüber nachdenken aber ich würde dir gerne anbieten, bei mir zu wohnen. Wenn es dir lieber ist, dann auch nur für den Übergang bis du eben was Neues hast aber so hättest du jetzt keinen Stress und müsstest nicht die erst beste Wohnung nehmen.«
Lea redete sich fast in Rage, so aufgeregt war sie.
Oh nein, ich habe sie total überrumpelt, dachte Lea.
Nancy starrte sie nur an und sagte nichts. Eigentlich freute sie sich über das Angebot auch wenn sie es gerade nicht zeigen konnte, denn sie war mehr als überrascht aber es könnte vorerst eine Lösung für ihr Problem sein und sie hätte mehr Luft um sich um einen neuen Job zu kümmern.

»Das wäre wirklich fantastisch, aber wirklich nur, wenn es dir nicht zu viel und zu schnell ist. Du sollst dich nicht dazu genötigt fühlen oder es sonst aus irgendeinem falschen Grund tun«, sagte Nancy und hielt dabei Leas Hand.
Ja, sie war wirklich überwältigt von ihrem Angebot, niemals hätte sie damit gerechnet. Geschweige denn, dass sie selbst auf die Idee gekommen wäre. Sie hätte nicht mal gewagt, es zu denken.
Lea war erleichtert. Sie drückte Nancys Hand fester, strich ihr über den Handrücken und sagte: »Nichts lieber als das. Du kannst sofort deine Sachen zu mir bringen.«
Darauf stießen sie an, als Jeff dazwischen funkte. Er wirkte aufgeregt, wollte die beiden aber zuerst ihren Dialog beenden lassen.
»Entschuldigt, dass ich euch störe aber Nancy, ich habe was vergessen. Heute wurde etwas für dich hier abgegeben. Von einem Mann. Ich habe ihn hier noch nie zuvor gesehen«, Jeff reichte Nancy einen Umschlag.
Nancy war wie festgefroren. Sie starrte auf den Umschlag der vor ihr lag. Ein ungutes Gefühl erfüllte ihren ganzen Körper. Erst dieser Zettel, dann die Email und nun das.
Sie wollte nur ihr Leben in Ruhe sortieren, dafür brauchte sie keinen Stalker oder wer oder was das auch immer war.
Lea beobachtete Nancy, sagte aber nichts.

Nancy griff nach dem Umschlag, alles um sich herum hatte sie ausgeblendet. Neugierde vermischte sich mit Angst.
Ihre Hände zitterten als sie den Umschlag öffnete und wieder ein handgeschriebenes Blatt herausholte. Dieses Mal war es richtiges Briefpapier mit blauen Verzierungen am Rand auf dem stand:

Kein Berg den ich nicht versetzt hab
Zog jede Chance an den Haaren herbei

Wieder eine weitere Textzeile von dem Song. Wieder diese Handschrift, die nun Catharina verdächtig machte und nicht mehr Ash. Was für ein Hin und Her.
Nancy seufzte, »hört das denn gar nicht mehr auf.«
Lea lehnte sich herüber um auch sehen zu können, was es war.
»Ist es das, wofür ich es halte?«, fragte Lea mit einem Unterton, der verriet, dass sie sauer wurde.
Nancy steckte das Blatt wieder in den Umschlag und streckte es Jeff hin mit den Worten: »Wirf das bitte für mich weg.«
Jeff war verunsichert, tat aber was sie sagte und lies Nancy und Lea wieder alleine. Die Wolke die zwischen den beiden hing war regelrecht sichtbar. Aus sowas hielt er sich bei seinen Gästen immer raus. Auch wenn Nancy mehr als nur ein Gast war, das müssten die beiden unter sich klären. Aber er grübelte darüber, was auf dem Blatt in dem Umschlag stand und warum ihre

Reaktionen so ausfielen. Er würde Nancy die Tage mal anrufen und nachhaken.

Nancy drehte sich zu Lea, legte ihre Hände auf ihren Schoß und suchte nach den richtigen Worten.
Sie verstand die Wut von Lea aber sie selbst konnte nichts dafür. Sie wünschte sich doch auch nur endlich ihren Frieden. Es ist genug passiert und es reichte ihr für den Rest ihres Lebens.
»Sei bitte nicht böse Lea. Ich weiß wirklich nicht, wer dahinter steckt und es ist mir egal, ich will nur, dass es aufhört. Als ich heute zuhause war und die Mails zu den Wohnungsangeboten geschrieben habe, habe ich eine merkwürdige Mail in meinem Postfach entdeckt. In dieser war auch eine Zeile von dem Songtext aber der Absender bestand nur aus einer Nummer. Glaub mir bitte, dass ich nicht weiß wer es ist«, flehte Nancy Lea regelrecht an.
Leas Blick wurde wieder weicher und sie gab Nancy einen Kuss. Einen versöhnlichen Kuss. Mit dem war das Thema vorerst beendet. Sie ließen den Abend ausklingen und auch Jeff beherrschte sich und ließ die vielen Fragen, die ihn beschäftigten, ruhen. Er wusste nur zu gut wie es war, wenn außenstehende Personen sich in eine Beziehung einmischten oder immer wieder ein Thema anschnitten, die für das Paar zu Streitereien führte. Seine Ex Schwiegereltern hatten dafür ein Talent.

Kaum eine Familienfeier haben Jeff und seine damalige Frau Kate ohne einen riesigen Streit im Nachhinein überstanden.

Jedes Mal begann der Streit schon auf dem Nachhauseweg und eskalierte dann so richtig, wenn sie zuhause waren.

Kate schloss dann immer alle Fenster, weil sie es hasste, wenn alle hörten, dass sie sich wieder stritten.

Sie haben es nie geschafft ausreichend zusammenzuhalten damit ihre Familie keine Möglichkeiten mehr hatte, dazwischen zu grätschen.

Kapitel 11

Die Nacht von Donnerstag auf Freitag

Lea und Nancy kamen gegen zwei Uhr morgens nach Hause. In Leas Zuhause das auch bald ihres sein würde.
Lea war ein bisschen angeschwipst und lief etwas wankend ins Badezimmer. Nancy holte ihr ein Glas Wasser und stellte es ihr auf den Nachttisch und folgte Lea ins Badezimmer.
Nancy war unendlich müde, das ganze Chaos schlauchte sie von Tag zu Tag immer mehr, zugleich verspürte sie eine unbändige Lust auf Lea. Allerdings bezweifelte sie, dass Lea dazu im Stande war, die vergangene Nacht zu wiederholen. Schon der Gedanke daran erregte Nancy.
Diese Nacht schliefen sie nicht im Wohnzimmer auf dem Sofa sondern im Schlafzimmer. Da Lea es nicht gewohnt war zu trinken, machten sich die paar Drinks mehr bemerkbar als gedacht. Während Nancys Erregung ins Unermessliche wuchs, dank ihrer Fantasien an die letzte Nacht, schaffte es Lea gerade noch ins Bett und drückte sich in Nancys Arme.
Das war's dann wohl für heute Nacht, dachte Nancy. Sichtlich enttäuscht. Die zweite Nacht mit ihrer Freundin hatte sie sich wirklich anders vorgestellt.
Nancy wälzte sich von links nach rechts. Sie fand einfach keine Ruhe. Zu sehr beschäftige es sie, was es

mit diesem Songtext auf sich hatte, der ihr so häppchenweise vor die Füße geworfen wurde. Egal ob Ash oder Catharina, beide sollten für immer aus ihrem Leben verschwinden. Sie hatte genug durchgemacht und wünschte sich nichts sehnlicher als ihr neues Glück in vollen Zügen zu genießen ohne solche Störfaktoren.

Morgen würde sie anfangen müssen nach einem Job zu schauen. Sie wollte auf keinen Fall mehr zurück in die Werkzeugfabrik und sich die Nächte um die Ohren schlagen für nichts und wieder nichts. Sie hatte aber auch keinen konkreten Plan wonach sie suchen sollte. Bis heute hatte sie nicht herausgefunden, was ihr wirklich lag und worin sie richtig aufgehen könnte. Lea war eine Autorin durch und durch. Sie schrieb Bücher wie andere ihre Einkaufsliste.

Für sie gab es wahrscheinlich nichts erfüllenderes aber Nancy musste genau so etwas noch für sich selbst finden.

Stunden lag Nancy noch wach, bis sie endlich im Morgengrauen in einen leichten Schlaf fiel.

Kapitel 12

Freitagmorgen, 22.Oktober 2021

Ein trüber, nebliger Tag brach herein. Es war draußen so grau, dass Lea, als sie die Augen aufschlug, nicht einschätzen konnte wie spät es war. Verkatert schaute sie auf die Uhr auf ihrem Nachttisch. 8:23 Uhr leuchtete es ihr in grellen, roten Zahlen entgegen. Es war so grell, dass es in ihren Augen schmerzte und ihr Kopf fühlte sich an als wäre er in einer Schraubzwinge gefangen.

»Ich werde nie wieder trinken«, flüsterte sie vor sich hin und drehte sich zu Nancy herum.

Nancy schlief noch, ganz am anderen Rand des Bettes. Es war ein großes Bett dementsprechend groß war die Lücke zwischen den beiden.

Lea robbte vorsichtig zu Nancy und schmiegte sich an sie und schlief nochmal ein.

Als Nancy kurz darauf wach wurde, wurde sie fast von Leas Alkoholfahne erschlagen.

»Ach du meine Güte Lea, das ist ja kaum auszuhalten« ,rutschte ihr heraus und riss Lea damit aus dem Schlaf.

Lea war noch nicht ganz anwesend. Sie registrierte nicht was Nancy sagte und fühlte sich noch überhaupt nicht bereit dazu, das Bett zu verlassen.

Nancy fühlte sich furchtbar gerädert, sie hatte maximal vier Stunden geschlafen und die paar Stunden waren nicht besonders erholsam und ein bisschen verärgert war sie vielleicht auch noch.

Nancy stieg aus dem Bett unter einem lauten Protest von Lea, die nicht alleine weiter schlafen wollte aber zu müde war um sich zu bewegen, und ging geradewegs ins Badezimmer.

Sie wollte schnell los und sich den Herausforderungen des Lebens stellen bevor es sie wieder überrannte.

Sie gab Lea einen Kuss auf die Stirn, die davon nichts mitbekam und eilte los.

Da sie auf dem Heimweg sowieso daran vorbeilief, holte sie sich schnell einen Kaffe To Go im Schreiberling Café. Den würde sie heute brauchen um den Tag, nach dieser schlaflosen Nacht, zu überstehen.

Es waren nur wenige Menschen auf den Straßen. Es hatte 5 Grad Außentemperatur und durch den dichten Nebel und die Feuchtigkeit die dadurch in der Luft hing, fühlte es sich noch viel kälter an.

Nancy war froh, als sie in ihrer Wohnung ankam, es war zwar nicht mollig warm aber immerhin wärmer als draußen. In den Briefkasten schaute sie lieber erstmal nicht. Sobald sie ausgezogen war, könnte ihr sowieso niemand mehr irgendwelche Zettel und Briefe einwerfen. Dann wüsste niemand mehr, wo sie war und ihr Name würde genauso von der Klingel verschwinden wie es bei Ash war. Sie würde ein neues Leben beginnen und wenn Catharina oder Ash sie suchen würden, würden sie ebenso ratlos da stehen wie sie es, dank ihnen, tat.

Am besten sie packe gleich ihre paar Sachen, wozu sollte sie noch sechs Wochen hier sein, wenn sie gleich bei Lea einziehen durfte. Sie wollte in ihrer Wohnung sowieso nicht mehr Zeit verbringen als es unbedingt notwendig war.
Da sie nicht viel besaß außer vier Kartons mit Kleidung, die meisten davon noch verpackt und noch weitere drei Kartons mit dem Krimskrams den man eben so hatte, war das ganze in einer Stunde erledigt. Sie musste sich nur noch überlegen wie sie die Kartons ohne Auto in Leas Wohnung bekam.
Hatte Lea ein Auto? Sie konnte sich nicht entsinnen, dass Lea es mal erwähnt hätte. Notfalls müsste sie Jeff fragen, der hatte einen Pick Up. Auf die Ladefläche würden ihre wenigen Sachen locker passen. Jeff machte damit immer seinen Einkauf im Großmarkt und er ist ein hilfsbereiter Kerl.

Leas Arm hing von der Bettkante herunter, ihr Gesicht lag darauf und auf ihrer Wange war ein deutlicher Abdruck zu sehen. Als sie aufwachte, wedelte sie mit ihrem Arm herum, eigentlich auf der Suche nach Nancy. Sie öffnete die Augen zu kleinen Schlitzen, mehr ließen ihre Kopfschmerzen noch nicht zu. Als sie ihre Orientierung wieder fand, stellte sie enttäuscht fest, dass Nancy weg war. Sie warf einen Blick auf die Uhr. 11:47 Uhr. Sie schreckte sofort nach oben. Als Frühaufsteherin ist ihr sowas noch nie passiert, sie hatte den halben Tag verschlafen.

In dieser Zeit hätte sie normalweise schon das ein oder andere Kapitel getippt und den fünften Kaffee getrunken und heute war auch noch das Meeting mit ihrem Verlag um vierzehn Uhr.
Sie stolperte aus dem Bett, blieb mit ihrem Fuß in der Decke hängen und wäre beinahe noch bäuchlings neben dem Bett gelegen.
Sie warf gleich zwei Tabletten gegen ihre hämmernden Kopfschmerzen ein und duschte sich heute mal im Schnelldurchlauf. Sonst brauchte sie morgens ihre Zeit unter der Dusche oder in der Badewanne aber sie musste auch noch ein Katerfrühstück besorgen, ihr Manuskript kontrollieren und sich bei Nancy melden. Sie hasste es zwar zu telefonieren aber für Nancy würde sie heute eine Ausnahme machen. Der Weg zum Verlag dauerte ebenfalls mindestens dreißig Minuten mit der S-Bahn.

Nancy stand vor ihren gepackten Kartons und sagte zu sich selbst: »so wenig habe ich noch nie besessen.«
Es stimmte sie ein wenig traurig, doch sie versuchte es positiv zu sehen, so musste sie kein Umzugsunternehmen anheuern. Das Bett konnte auf den Sperrmüll, sowie alles andere was hier noch vom Vormieter an Gerümpel herumstand.
Wohl oder übel musste sie sich jetzt aber noch an die Jobbörse setzen obwohl sie viel lieber mit ihren Kartons zu Lea wäre.

Ein Online Portal nach dem anderen durchforstete sie nach offnen Stellen, in der Hoffnung, eine Anzeige zu finden in deren Beschreibung sie sich wiederfand. Doch wie musste die Beschreibung sein, damit sie sich in ihr wieder fand? Die Frage konnte sie sich selbst nicht beantworten. Sie wusste nicht wonach sie suchte und wer sie wirklich war. Etwas Soziales wollte sie nicht machen, Menschen fand sie zu anstrengend. Somit fielen auch alle Jobs weg die beratend waren. Fließband kam auch nicht in Frage, sie wollte sich schließlich weiterentwickeln, ein Talent in sich erkennen. Zugegeben, sie suchte es schon ihr ganzes Leben, manchmal dachte sie für kurze Zeit es gefunden zu haben, doch nach wenigen Wochen schon fand sie sich zu wenig talentiert und gab auf.
Das einzig Wahre für sie, war das hantieren und malen mit Worten und trotzdem brachte sie ihr Buch einfach nicht zu Ende. Hatte sie nur den falschen Anfang gewählt? Stand sie sich selbst im Weg, weil sie nicht ihrem Gefühl folgte sondern ihre Geschichte kaputt dachte?
Selbst wenn sie es wieder versuchen sollte mit ihrem Buch, vorerst brauchte sie trotzdem einen Job der nicht all zu miserabel war. Viel Geduld gehörte noch nie zu ihren Stärken, es musste schnell gehen, am liebsten sofort.

Lea stürmte aus ihrer Wohnung, ging um die Ecke ins Café Schreiberling und bestellte sich erstmal ein

Frühstück mit allem drum und dran. Rührei, Croissants, Brötchen und einen Obstsalat. Das müsste ihrem Körper helfen um wieder auf die Beine zu kommen und beim Meeting frisch zu wirken. Zwei Tassen Kaffee durften nicht fehlen, den dritten nahm sie mit auf den Weg.

Die S-Bahn war um diese Zeit am Freitag immer gut gefüllt. Viele hatten freitags früher Feierabend und hetzten noch von A nach B um ihre, meist lästigen, Erledigungen abzuarbeiten. Lea saß immer an einem Fensterplatz, so konnte sie das Geschehen auf den Straßen beobachten und das ein oder andere fand sich auch schon mal in ihren Büchern wieder. Das Leben und die Menschen lieferten ihr oft Ideen für das nächste Buch. Sie gehörte nie zu denen, die da saßen und darüber nachdachten, worüber ihr kommendes Buch handeln könnte. Das Leben warf es ihr vor die Füße und sie war gut darin es zu erkennen und zu einem Roman zu verpacken.

Noch zwei Haltestellen bis sie aussteigen musste. Sie kramte nach ihrem Telefon um vorher noch Nancy anzurufen.

»Mist, schon wieder kein Empfang«, stieß sie etwas zu laut aus, die meisten drehten sich um und starrten sie nun an.

Sie legte einen entschuldigenden Gesichtsausdruck auf und packte das Telefon weg. Sie würde Nancy nach dem Meeting anrufen.

Nancy scrollte mittlerweile sehr lustlos und demotiviert durch die Jobportale. Sie öffnete nebenbei ihr Mailprogramme, sie wollte nachsehen ob nochmal eine Mail kam oder ob der Spuk endlich mal ein Ende nahm.
Erleichtert schloss sie ihre Mails wieder, nichts, nichts außer der übliche Spam.
Sie checkte ihr Telefon, keine Nachricht von Lea also begann sie zu tippen:

Liebste Lea,
tut mir leid, dass ich schon weg war. Dafür habe ich schon alles gepackt. Sehen wir uns heute?
Deine Nancy

Nancy wischte über die Nachrichten der letzten Tage, dabei fiel ihr Blick auf die Nachricht die sie an Ash geschickt hatte.
Tatsächlich, sie musste zweimal hinschauen aber da waren zwei Häkchen.
Ash hatte die Nachricht empfangen. Also war ihr Telefon doch immer wieder mal an. Sie hatte es noch und benutzte die selbe Nummer. Sie war versucht eine weitere Nachricht hinterher zu schicken.
Aber sie tat es nicht, sie wollte stark bleiben und löschte den gesamten Verlauf, so schwer es ihr fiel.
In fast der selben Sekunde vibrierte es in ihrer Hand.
Eine neue Nachricht, bestimmt die Antwort von Lea.

Pass auf dich auf. Nichts ist wie es scheint

Nein, das war nicht von Lea. Diese Nachricht kam von Ash. Nur unmittelbar nachdem Nancy den Verlauf gelöscht hatte.

Nancy laß die Nachricht bestimmt zehn mal. Mal laut mal leise. Mit jedem Mal bekam sie es mehr und mehr mit der Angst zu tun. Sie hielt die Luft an, während in ihrem Kopf die Gedanken Achterbahn fuhren. Sie mochte keine Horrorfilme aber im Moment schien sie sich in einem zu befinden. Sie war wie gelähmt und traute sich nicht mal, sich zu bewegen, zugleich hatte sie den Drang davon zu laufen, einfach zu rennen soweit ihre Beine sie trugen. Sie begann zu schwitzen obwohl ihr kalt war. Atmen und die Ruhe bewahren, sprach sie gedanklich auf sich ein. Sie wählte Leas Nummer ....

Nur die Mailbox. Ausgerechnet jetzt. Sie hatte keinen Schlüssel zu Leas Wohnung also wäre es auch sinnlos gewesen zu ihr zu rennen aber sie wollte sofort aus der Wohnung raus. Hier fühlte sie sich gerade am unsichersten.

Wenn das ein blöder Scherz war um ihr Angst zu machen, dann hatte es wunderbar funktioniert, dachte sie.

Nancy nahm ihre Handtasche und einen Karton mit der wichtigsten Kleidung, warf die Tür hinter sich zu und rannte ins Café Schreiberling.

Es war das Erste das ihr einfiel und es war ganz in der Nähe von Lea.

Kapitel 13

Freitagabend

Drei lange, zähe Stunden dauerte das Meeting mit Leas Verlag. So viel besser fühlte sie sich nach dem Katerfrühstück auch nicht und die Schmerztabletten ließen auch langsam nach und ihr Kopfschmerz war wieder da.
Sie war froh, als das Meeting endlich vorbei war, es fiel ihr furchtbar schwer sich zu konzentrieren, außerdem wollte sie endlich mit Nancy sprechen. Ihr Telefon hatte sie währenddessen im Flugmodus. Kaum hatte sie den Flugmodus deaktiviert meldete ihr Telefon vier neue Nachrichten und einen verpassten Anruf.
Die ersten drei Nachrichten beachtete sie gar nicht und las erstmal die von Nancy. Als sie sah, dass auch der verpasste Anruf von Nancy war beschloss sie Nancy anzurufen anstatt auf ihre Nachricht zu antworten.
Es klingelte nur zweimal, Nancy ging ran und sie klang erleichtert:

»Na endlich«
»Hallo Nancy, sorry, dass du mich nicht erreicht hast, ich hatte ein Meeting mit meinem Verlag und bin gerade erst fertig geworden. Geht es dir gut?«
Lea machte Nancys Tonlage ein ungutes Gefühl.
»Ich bin im Café Schreiberling, komm bitte so schnell du kannst«, sagte Nancy und legte auf.

Irritiert und verunsichert schaute Lea auf das Display. *Was war das denn?* fragte sich Lea und wählte die Wahlwiederholung…

Ihr gewünschter Gesprächspartner ist zur Zeit nicht erreichbar. Bitte versuchen Sie es zu einem späteren Zeitpunkt noch einmal.

Na klasse. Hatte Nancy aufgelegt und ihr Telefon weggeworfen, fluchte Lea innerlich.
Natürlich hatte sie jetzt noch die S-Bahn verpasst und die nächste käme erst in zehn Minuten. »Was für ein Tag«, flüsterte Lea und warf den Kopf in den Nacken.
Sie versuchte noch zweimal bei Nancy anzurufen, aber jedes Mal dieselbe Ansage.

Nancy saß im Café Schreiberling. Nachdem sie mit Lea gesprochen hatte, hatte sie sofort ihr Telefon ausgeschaltet. Morgen würde sie sich gleich eine neue Nummer besorgen. Damit setzte sie dem ganzen Schrecken ein Ende, zumindest hoffte sie das inständig. Nancy war nervös. Sie hatte Angst und wusste nicht mal wovor genau. Wieso trieb Ash so ein Psychospiel mit ihr? Oder Catharina? Oder wer das auch immer war. Diese und viele weiteren Fragen sprengten ihren Kopf. Alles was geschah, überstieg ihre Vorstellungskraft.
Sie bestellte sich zuerst einen Kaffee aber dann beschloss sie auf etwas Alkoholisches umzusteigen,

vielleicht würde sie das ein bisschen beruhigen bis Lea eintraf.
Lucy, die Bedienung, war wieder da.
Nancy beobachtete sie bei ihrer Arbeit, wie sie von Tisch zu Tisch rannte wobei es bei ihr eher wie schweben aussah. Sie machte es mit einer Leichtigkeit die spürbar und sichtbar war. Sie führte an fast jedem Tisch noch Smalltalk und beim Lachen legte sie immer ihren Kopf zur Seite. Sie balancierte mit zwei Tabletts gleichzeitig wie eine Ballerina und ein Jongleur in einer Person. Nancy würde nicht mal mit einem Tablett zurecht kommen, dachte sie und stellte nur mal wieder fest, was sie nicht konnte. Obwohl sie früher mal gekellnert hatte, gut war sie darin nie.
Aber vielleicht war es gar keine so schlechte Idee im Café Schreiberling zu jobben, wenigstens als Aushilfe. Sie wusste zwar nicht, ob jemand gesucht wurde aber sie konnte ja bei der nächsten Bestellung nachfragen. Von Lea aus hätte sie es nicht weit zur Arbeit und sie mochte die Atmosphäre hier und wenn es ganz gut lief, könnte sie nach Feierabend ihr Buch hier zu Ende schreiben oder sogar ein Neues beginnen.

Lea saß unruhig in der S-Bahn, rutschte auf ihrem Sitz hin und her und schaute im Minutentakt auf ihr Telefon. Zum einen um keinen Anruf oder keine Nachricht von Nancy zu verpassen und zum anderen schaute sie auf die Uhr wie lange die Fahrt noch dauern würde. Von der Haltestelle bis zum Café

Schreiberling waren es dann nur zwei bis drei Gehminuten.

Lucy kam, nachdem sie beide Tabletts geleert hatte, zu Nancy an den Tisch.
»Hey, du auch wieder hier. Soll ich dir noch was bringen?«
»Ja, einen Mai Tai bitte und eine Frage hätte ich noch, sucht ihr zufällig eine Aushilfe oder so?« Nancy musste ihren ganzen Mut zusammen nehmen um diese Frage wirklich zu stellen und kam sich im selben Moment, so wie sie es ausgesprochen hatte, ein bisschen blöd vor.
»Ja, da könntest du Glück haben. Eine Kollegin die immer die Frühschicht macht, ist auf unbestimmte Zeit krank, das könnte länger dauern. In der Zeit könnte ich tatsächlich Hilfe brauchen sonst muss ich die Frühschicht und die Spätschicht übernehmen.«
Ihr gehörte also das Schreiberling Café.
Nancy war erstaunt wie einfach das ging, wenn man mal den Mund aufmachte. Manchmal wird Mut eben doch belohnt.
»Das klingt ja perfekt. Die Frühschicht würde mir gut passen. Ab wann könnte ich denn anfangen? Ich habe allerdings nur ein bisschen Erfahrung im Kellnern und hinter dem Tresen so gut wie keine.«
Lucy überlegte kurz. Es war natürlich nicht ideal wenn sie Nancy erst alles beibringen musste, andererseits,

wenn ihre Kollegin wirklich lange weg war, dann würde es sich lohnen Nancy einzuarbeiten.

»Kein Problem, das bekommen wir schon hin. Anfangen kannst du sobald es bei dir geht, je früher desto besser.«

Nancy war kurz überrumpelt und wusste nicht was sie sagen sollte. Sie hatte noch ihren alten Job, den sie erstmal kündigen müsste und sie hatte zwei Wochen Kündigungsfrist.

Vielleicht konnte sie mit ihrem Chef sprechen.

»Was hältst du davon, wenn ich dir morgen Bescheid geben?«

»Machen wir so. Deinen Mai Tai bringe ich dir gleich.«

Nancy strahlte und vergaß für einen Moment, weswegen sie eigentlich ins Schreiberling kam. Sie durfte es auf keinen Fall vermasseln.

Lea drückte die anderen Passanten an der Tür der S-Bahn beiseite, die sich lautstark beschwerten und lief los als würde sie um ihr Leben rennen.

Sie stürmte mit so einer Wucht ins Café Schreiberling, dass alle Augen auf sie gerichtet waren. Die Tür gab leichter nach als gedacht, sodass Lea regelrecht hineinflog. Viele große Augen starrten sie an während sie wild hin und her blickte und als sie Nancy sah, lief sie so zielstrebig auf sie zu, dass sie Lucy übersah und ihr das Tablett aus den Händen schupste.

»Oh Mist, sorry, das wollte ich nicht«, stammelte Lea ganz aufgeregt.

»Schon gut, du bist nicht die erste, die mich gnadenlos übersieht«, sagte Lucy lachend.
Lea war es sichtlich peinlich, jetzt hatte sie noch mehr Aufmerksamkeit auf sich gelenkt.
»Ich bezahle natürlich alles was auf dem Tablett war.«
»Entspann dich. Halb so wild.«
Lucy holte Eimer und Lappen, sammelte die Scherben auf und wischte den Boden auf bevor sich noch jemand was brach.

Lea setzte sich neben Nancy und nahm sie in den Arm.
»Sag, was ist passiert? Wieso habe ich dich nicht mehr erreicht? Ich bin fast gestorben vor Sorge!« sagte Lea so schnell, dass Nancy nur die Hälfte wirklich verstand.
Nancy holte ihr Telefon raus, drückte auf den Startknopf und während das Smartphone erstmal hochfahren musste, begann sie Lea zu erzählen:
»Ich weiß gar nicht wo ich anfangen soll. Ich muss weiter ausholen, damit du alles verstehst.«
Nancy erzählte ihr die ganze Geschichte über Ash, wie sie verabredet waren, wie Ash plötzlich verschwunden war und dass es danach anfing mit den eigenartigen Nachrichten und zuletzt von der Nachricht von Ash, die heute kam und sie in Angst und Schrecken versetzte.
Lea hörte Nancy zu ohne sie auch nur einmal zu unterbrechen. Sie versuchte ihr zu folgen aber Nancy war so aufgeregt beim Erzählen, dass es für Lea eher

ein heilloses Durcheinander war. Doch sie spürte Nancys Angst und bekam selbst ein mulmiges Gefühl.
»Kann es also sein, dass diese Ash hinter alldem steckt und nicht deine Ex Freundin?«
»Denkbar, ja. Aber ich weiß es einfach nicht. Ich werde mir morgen eine neue SIM Karte besorgen, vielleicht hört es dann auf und vielleicht darf ich schon morgen meine Sachen zu dir bringen?« Nancy sah verzweifelt aus. Man merkte ihr an, wie sehr es ihr zu schaffen machte.
»Aber sicher, wir können deine Sachen morgen holen gehen. Ich habe einen Van, da bekommen wir das Meiste bestimmt unter«, antwortete Lea, deren Gesicht von den Sorgen um Nancy gekennzeichnet war.
Nancy war sichtbar erleichtert. Sie musste Jeff nicht um Hilfe bitten und würde morgen das letzte Mal ihre Wohnung betreten müssen. Allerdings würde morgen Lea sehen wie erbärmlich Nancy bisher gehaust hatte. Wie würde sie wohl darauf reagieren?

Kapitel 14

Samstagmorgen, 23.Oktober 2021

Nancy schlief letzte Nacht sehr unruhig. Sie konnte nicht aufhören zu grübeln, was sie um den Schlaf brachte.
Auch Lea wurde nachts immer wieder wach und wälzte sich hin und her. Es beschäftigte sie genauso wie Nancy. Sie waren erst wenige Tage zusammen, aber Lea hatte das Gefühl, sie hätten schon Jahre miteinander verbracht. Darum machte es ihr auch nichts aus, dass Nancy heute bei ihr einzog. Sie hatte keine Zweifel, dass es funktionieren würde. Da heute Samstag war, hatten sie genug Zeit Nancys Umzug über die Bühne zu bringen.
Lea war trotz der schlechten Nacht voller Tatendrang.
Sie drehte sich zu Nancy und sagte: »Aufwachen Süße, es wartet viel Arbeit auf uns.«
Nancy war noch so müde, da sie aber sowieso nicht mehr richtig schlafen konnte, konnte sie auch gleich aufstehen also drehte sie sich zu Lea herum.
»Guten Morgen, du bist ja schon wach.«
»Ja, lass uns aus den Federn springen und zu deiner Wohnung fahren.«
Nancy graute es ein bisschen davor. Sie wollte vermeiden, dass Lea das Übel sieht aber sie konnte sie schlecht vor der Tür stehen lassen.

Lea und Nancy zogen sich bequeme Klamotten an, machten das Bett und liefen zu Leas Van.
Der stand eine Straße weiter in einem Hinterhof geparkt.
»Es ist hier so schwer einen Parkplatz zu bekommen, da habe ich diesen Stellplatz angemietet. Ich laufe lieber eine Straße zu meinem Auto als ständig einen Parkplatz zu suchen«, erklärte Lea, während sie Arm in Arm schlenderten. Glücklicherweise war es heute trocken und die Wettervorhersage für den Tag war sonnig.
Lea fuhr einen roten Van, der hatte eine große Ladefläche und tiefschwarz getönte Scheiben. Nicht das, was die meisten als ein schönes Fahrzeug betiteln würden, aber Lea liebte ihren Van. Mit dem hatte sie schon so viel erlebt. Sie machte sich nichts aus Autos, es musste nur praktisch sein.
Einmal war sie mit ihrem Van quer durchs Land gefahren. Sie gab eine Buchvorlesung nach der anderen. Alle paar Tage in einer anderen Stadt. Sie war zwei Monate unterwegs und noch nie bekam sie in so kurzer Zeit so viel zu sehen. Sie plante damals alles so, dass sie in jeder Stadt noch ein paar Tage verbringen konnte. Mal schlief sie in ihrem Van und mal in einem luxuriösen Hotel. Sie mochte die Mischung. Beides hatte etwas für sich und so konnte sie alles miteinander verbinden.

Lea konnte sich bildlich vorstellen wie so eine Reise mit Nancy zusammen wäre. Zu zweit ist alles schöner, sagte sie immer.

Sie könnten jeden Tag an einem anderen Ort aufwachen.

Mitten in der Natur schlafen, in dem Dachzelt des Vans. Von dort aus den Sternenhimmel betrachten und den Geräuschen der Welt lauschen.

»Hier ist das gute Stück«, sagte Lea und strahlte bis über beide Ohren.

»Wow, der ist toll. Meine paar Sachen passen da definitiv rein. Der Van ist mega cool.«

»Dann nichts wie rein, Lady«, sagte Lea und hielt Nancy die Beifahrertür auf. Nancy sprang rein und begutachtete das Interieur. Der Van war zwar nicht mehr der Neuste aber so wie es aussah, wurde er innen komplett aufgewertet. Beige Teilledersitze mit farblich abgehobenen Nähten die sich auch am Lenkrad wiederfanden und sogar in den Fußmatten. Der Van machte von innen einen noch viel besseren Eindruck als von außen.

»Los gehts, sagst du mir wo es lang geht?«, fragte Lea, während sie schon mit dem Ausparkvorgang beschäftigt war.

Nancy würde sich niemals trauen ein so großes Fahrzeug zu bewegen, geschweige denn, damit zu parken und es zu rangieren.

»Klar, fahr erstmal in Richtung des Schreiberling Cafés und danach an der nächsten Ampel rechts ab«,

antwortete Nancy und es erfüllte sie mit Stolz neben Lea zu sitzen. Sie fühlte sich vollkommen an ihrer Seite. So ein Gefühl hatte sie bei Catharina in den zwölf Jahren nie, erinnerte sie sich. Überhaupt wurde ihr erst mit Lea bewusst, wie eine Beziehung, selbst eine die noch so frisch war, sich anzufühlen hatte.
Lea lenkte den Van durch die engen Straßen als sei es ein Kleinwagen. Man sah, dass sie schon viele Kilometer damit auf den Straßen gelassen hatte und es für sie ein Kinderspiel war.
Nach zehn Fahrtminuten kamen sie vor Nancys Wohnung an und ergatterten direkt vor der Haustür einen Parkplatz. So musste sie die Sachen nicht ewig weit tragen.
Nancy hatte Angst vor Leas Reaktion.
»Damit du dich nicht erschreckst, meine Wohnung ist nicht zu vergleichen mit deiner. Sie war für mich eine Notlösung nach der Trennung von Catharina«, rechtfertigte sich Nancy. Sie hatte das Gefühl es tun zu müssen, obwohl es sicherlich absoluter Quatsch war. Lea verstand nicht, warum Nancy meinte, sie darauf vorbereiten zu müssen. Sie hatte wirklich nicht erwartet, dass Nancy in einem Schloß lebte. Es war nicht die beste Gegend der Stadt, aber es gab deutlich schlimmere.
»Das spielt doch keine Rolle, in ein paar Stunden lebst du bei mir und alles andere ist egal«, sagte Lea und küsste Nancy.

Nancy liebte diese liebevolle Art von Lea und dass es ihr egal war, was andere hatten oder eben nicht hatten, obwohl sie selbst alles hatte, von klein auf und nur das unkomplizierte Leben kannte. Sie verurteilte deswegen andere Menschen nicht.
Das hatten ihre Eltern ihr schon immer gepredigt und diese Einstellung begleitete sie ihr ganzes Leben.
Nancy lief voraus in den dritten Stock und schnaufte oben wie eine Dampfmaschine.
»Wenn das alles hier vorbei ist, muss ich endlich wieder in mein Training einsteigen«, sagte Nancy lachend zu Lea, die neben ihr stand und dachte, sie würde sofort Muskelkater bekommen. Sie trieb nämlich selten Sport. Immer nur phasenweise.
»Ich denke, das brauchen wir beide«, antwortete Lea und klatschte in die Hände. »Auf geht's Mädel, mach die heilige Tür auf.«
Nancy suchte in ihrer Manteltasche nach dem Schlüssel.
»Okay, ich hoffe, ich hab dir nicht zu viel versprochen«, scherzte Nancy und schloss die Tür auf und lies Lea den Vortritt.
Lea machte zwei Schritte hinein und blieb stehen.
»Ich verstehe, warum du mich vorgewarnt hast, aber glaub mir, ich habe schon ganz andere Wohnungen gesehen und weißt du was das beste ist, du wirst so nie wieder wohnen müssen.«
Nancys Gesicht bekam weiche Züge und sie nahm Leas Hand und drückte sie fest.

»Du bist eben mein größtes Glück. Manchmal muss man viel Unglück erfahren, um am Ende wieder auf den richtigen Weg zu kommen.«
Lea war gerührt von Nancys Worten. Sie sagte nichts dazu, aber bestätigte Nancys Aussage mit einem leichten Nicken.
»Lass uns loslegen, was soll alles mit?«
»Eigentlich nur die paar Kartons die dort drüben stehen. Der Rest kommt auf den Sperrmüll. Mehr habe ich nicht«, sagte Nancy und zeigte auf die sieben Kartons, die gestapelt an der Wand standen.
»Oh … okay, dann sind wir schnell fertig. Dann nehmen wir erstmal deine Sachen mit und können kommendes Wochenende den Sperrmüll wegbringen, dann kannst du die Wohnung frühzeitig an deinen Vermieter übergeben, ist das in Ordnung für dich?«
»Ja sicher«, antwortete Nancy und schnappte sich zwei Kartons übereinander, damit sie die drei Stockwerke nicht unnötig oft laufen musste. Lea tat es ihr gleich und so waren sie nach nur einer Viertelstunde fertig. Nancy verspürte eine Erleichterung, die in Worten nicht zu beschreiben war.
Auf dem Rückweg hielten sie noch im Café Schreiberling. Zwar hatte Nancy noch nicht mit ihrem Chef gesprochen, doch sie war voller Tatendrang und wollte Lucy zusagen.
Heute war der erste Tag ihres neuen Lebens.
»Was willst du denn im Café?«, fragte Lea.

»Ich erzähle es dir Zuhause in Ruhe. Es dauert nicht lange, soll ich dir auch einen Kaffee mitnehmen?«
»Ja gerne, schwarz bitte und groß.«
Nancy sprang aus dem Van, übersah dabei fast eine Passantin, die wohl mit dem falschen Fuß aufgestanden war.
»Hey, passen Sie doch mal auf«, blaffte sie Nancy an.
Nancy lies sich davon nicht beirren und ging schnurstracks ins Café.
»Lucy, hi, wenn es dir passt, würde ich Montag gleich bei dir anfangen?«, fiel Nancy durch die Tür.
Lucy lachte. »Super, noch besser, wenn du am Montag auch so motiviert hier reinstürmst. Willkommen im Team.«
»Das werde ich«, entgegnete Nancy und bestellte zwei Kaffee to Go. Sie hatte mit Lucy noch gar nicht über die Bezahlung gesprochen. Es würde bestimmt nicht viel sein, aber das spielte erstmal keine Rolle. Seit langem hatte Nancy wieder das Gefühl, dass es bergauf ging.
So, das wäre hiermit auch erledigt. Zufrieden, einen Schritt weiter zu sein, stieg sie in den Van.
Sie luden die Kartons aus und trugen sie in Leas Wohnung.

Kapitel 15

Samstagmittag in der Jackson Bar

Jeff war wie jeden Morgen im Großmarkt gewesen und kaufte für das Wochenende ein.

Paul konnte wieder viele seiner alten Schichten übernehmen, so musste Jeff sich nicht immer durch zwei teilen, um alles zu schaffen.

Paul arbeitete schon seit acht Jahren bei Jeffrey und sie waren in den Jahren nicht nur ein gutes Team geworden, sondern noch bessere Freunde. Sie teilten ihre Sorgen miteinander und verbrachten, wenn sie die Bar mal früher schlossen, einen Männerabend miteinander. Eine Zeit lang wohnten sie sogar zusammen.

Paul war das, was man als einen Sunny Boy bezeichnen würde.

Blonde, gewellte Haare, immer braungebrannt und eine athletische Statur überzeugten die meisten Frauen und im Gegensatz zu Jeff mit seinen neunundvierzig Jahren, war Paul erst zarte einunddreißig Jahre alt.

Paul machte meistens die ganzen Vorbereitungen am Vormittag und kam dann wieder zur Spätschicht. Es störte ihn nicht, dass er eine Teilschicht hatte. Die meisten würden solche Arbeitszeiten nicht mitmachen. Jeff wusste das und war froh, Paul in seiner Bar zu haben.

»Sag mal Jeff, wo stecken Nancy und Ash? Ich habe die beiden schon lange nicht mehr gesehen.«
Paul fragte oft nach den beiden. Sie verstanden sich immer gut. Ash stand sogar mal auf Paul, aber der lies sie abblitzen.
Abblitzen mochte zu böse klingen, denn er machte es immer auf seine ganz eigene charmante Art und Weise. Er wollte nie, dass sich eine Frau wegen ihm am Ende schlecht fühlte. Er war nicht bereit sich zu binden und sah alles etwas lockerer als Jeff.
»Nancy war am Donnerstag hier, aber ohne Ash dafür mit ihrer neuen Freundin. Leider weiß ich ihren Namen nicht mehr«, antwortete Jeff während er die Flaschen in die Bar stellte.
Paul schaute Jeff mit großen, ungläubigen Augen an.
»Nancy hat eine neue Freundin?«
»Wieso sagst du das so komisch Paul? Die Trennung ist schon eine ganze Weile her und sie hat das Recht darauf endlich wieder glücklich zu sein oder meinst du nicht?«, sagte Jeff energisch und warf Paul einen vorwurfsvollen, ja fast schon bösen Blick zu.
Paul war überrascht von der Art wie Jeff das zu ihm sagte und ruderte zurück und hob beschwichtigend die Hände.
»So war das nicht gemeint. Es wundert mich nur, weil sie nie erzählt hatte, dass sie jemand Neues kennengelernt hat.«
»Vergiss es, mach einfach deine Arbeit, heute Abend wird viel los sein.« Mit diesen Worten verschwand

Jeffrey ins Büro, das sich in den Hinterräumen der Bar befand und eher einer Abstellkammer, als einem Büro glich. Es hatte kein Fenster und es roch staubig und alt. Jeff war nicht der beste Buchhalter, er hasste den Papierkram, den die Selbstständigkeit mit sich brachte, aber er wollte keinem Steuerberater einen Haufen Kohle zahlen, damit der ihm mitteilte, dass er Steuern nachzahlen müsste.

Paul blieb vor den Kopf gestoßen hinter der Bar stehen und versuchte zu verstehen, was hier gerade schief gelaufen war.
Paul fand Nancy schon immer attraktiv, es war fast zu schade sie an die Frauenwelt zu verlieren, wie er fand. Ganz am Anfang, als er Nancy kennenlernte und nicht wusste, dass sie mit Catharina zusammen war, hatte Paul versucht ihr schöne Augen zu machen. Natürlich scheiterte er kläglich.
Das passierte ihm nicht oft, Scheitern gehörte normalerweise nicht zu seinem Repertoire, aber in diesem Fall musste er sich eingestehen, dass er keine Chance hatte, außer er würde zur Frau konvertieren.
Paul beschloss für ein paar Stunden nach Hause zu gehen. Die Bar machte Samstags erst um achtzehn Uhr auf und es würde bestimmt eine lange, anstrengende Schicht werden. Er ging ohne sich von Jeff zu verabschieden. Er war nicht wütend auf ihn, verstand seine Reaktion nur nicht.

Kapitel 16

Samstagnachmittag bei Lea und Nancy

Nachdem Lea und Nancy zuhause ankamen, tranken sie erst in Ruhe ihren Kaffee, bevor sie anfingen im Schrank Platz für Nancys Sachen zu machen. Sie hatte so wenig und der Schrank war so groß, dass das kein Problem darstellte. »Von wegen zwei Frauen könnten niemals mit nur einem Kleiderschrank auskommen«, scherzte Nancy während sie ihre Kartons auspackte.
»Wie kann man nur so wenig Kleidung haben?«, fragte Lea entsetzt.
»Ich habe beim Umzug vieles weggeworfen und es war mir nicht möglich mir was zu gönnen, aber das wird sich jetzt ändern. Ich musste vorhin ins Café, weil ich Lucy zugesagt habe, ab Montag bei ihr zu arbeiten, ist das nicht klasse? Wenn du dann dort zum Schreiben bist, kann ich dich bedienen«, erzählte Nancy euphorisch und strahlte Lea an.
Lea war jedoch nicht so begeistert und wusste nicht was sie sagen sollte. Sie stand da und schaute Nancy an.
Nancy hatte eigentlich erwartet, dass Lea sich für sie freute. Dementsprechend war sie perplex von Leas Reaktion, die immer noch nichts dazu sagte.
»Stimmt was nicht?«, fragte Nancy, nachdem sie sich minutenlang angeschwiegen hatten und Lea nachdenklich am Esstisch saß.

»Entschuldige meine blöde Reaktion. Es freut mich, dass du was gefunden hast. Es ist nur so, dass ich mir ernsthaft Sorgen mache, wegen dieser Nachrichten. Mir ist klar, dass du dich deswegen nicht hier verstecken kannst, aber pass bitte auf dich auf. Im Café gehen so viele Leute ein und aus, dass du es gar nicht bemerken würdest, wenn davon jemand ein Irrer ist oder in deinem Fall vielleicht eine Irre«, sagte Lea mit gerunzelter Stirn, die ihre Sorgen untermauerte.
Nancy nahm es ihr nicht übel, sie fand es schön, dass sich mal jemand um sie sorgte, das kannte sie so nicht.
»Mach dir keine Sorgen. Ich werde aufmerksam sein und später gehe ich noch, wie gestern besprochen, eine neue SIM Karte kaufen, dann hat der Spuk bestimmt ein Ende«, sagte Nancy und gab Lea einen zarten Kuss, bevor sie sich dem Karton mit dem Krimskrams widmete und ihren Gedanken nachhing.
Montag würde sie noch vor ihrer Schicht bei ihrem Chef anrufen müssen und sie müsste sich noch ummelden gehen und bei der Bank vorbeischauen. Sie benutzte immer noch kein Online Banking. Sie misstraute der ganzen Sache und hatte immer Angst, dass ihr noch jemand die wenigen Euros, die sie besaß, stehlen würde. Vielleicht sollte sie sich auch noch eine neue Mailadresse erstellen? Ja, das würde sie tun. Sicher ist sicher.
Lea riss sie aus ihren Gedanken.
»Süße, was hältst du davon, wenn wir jetzt deine neue Karte kaufen gehen und den restlichen Nachmittag

danach bei einem Stück Kuchen ausklingen lassen? Ich habe solche Lust auf ein großes Stück Sahnetorte und die Beste gibt es an deinem neuen Arbeitsplatz«, sagte Lea mit diesem Singsang in der Stimme, den Nancy so mochte.
»Aber sicher. Mit dir gehe ich überall hin.«

Sie schlenderten durch die gut besuchte Innenstadt. Läden reihten sich aneinander, die Schaufenster waren erleuchtet und teilweise schon geschmückt und an jeder Ecke roch es verlockend nach Makronen, Bratwürsten und Pommes.
Nancy liebte Pommes, aber sie gönnte sich selten eine Portion. Jetzt wo sie kaum Sport trieb, musste sie erst recht darauf verzichten, zumindest war das ihre Meinung.
Vor der Trennung von Catharina, als sie noch eifrig ihr Sportprogramm verfolgte, lief sie oft ein paar Kilometer weiter, nur damit sie sich mit gutem Gewissen danach eine große Portion Pommes gönnen konnte.
Lea war da ganz anders. Wenn sie auf etwas Lust hatte, aß sie es einfach und trotzdem nahm sie nie zu. Sport trieb sie, wenn ihr mal danach war, aber nicht um sich deswegen mehr gönnen zu können.
Sie gingen in einen Smartphoneladen und holten für Nancy eine neue Karte.

»Am besten, du gibst die Nummer nur deiner Freundin«, sagte Lea scherzend zu Nancy. Wobei, ein bisschen Ernst steckte in jedem Scherz.
»Meiner Freundin, meiner neuen Chefin und Jeff, einverstanden?«, erwiderte Nancy und schaute Lea mit diesem Blick an, dem Lea nie widerstehen konnte.
»Das ist ein Deal.« Sie gingen Hand in Hand ins Café Schreiberling.

Kapitel 17

Samstagabend in der Jackson Bar

Paul öffnete pünktlich um achtzehn Uhr die Tür der Bar. Davor warteten schon einige Stammgäste die jeden Samstagabend kamen.

Paul hatte immer noch nicht mit Jeff gesprochen, geschweige denn Jeff gesehen. Wo steckte er nur? Alleine würde Paul den Ansturm an einem Samstagabend nicht bewältigen können.

So früh nach der Öffnung ginge es noch, aber ab zwanzig Uhr wäre er ohne Jeff verloren.

In seiner fünfstündigen Mittagspause hatte Paul sich nicht wie geplant ausgeruht, er war in der Stadt unterwegs und suchte für Jeff ein Weihnachtsgeschenk. Es war zwar noch zwei Monate hin, aber er hatte sowas immer gerne frühzeitig erledigt, bevor die Läden so voll waren, dass es ihm graute diese zu betreten. Es war das einzige Geschenk, das er besorgen musste. Er hatte niemanden außer Jeff. Seine Eltern kannte er nicht und seine Adoptiveltern wollten nichts mehr mit ihm zu tun haben nachdem er sein Studium zum Maschineningenieur abbrach, was sie viel Geld kostete, und bei Jeff in der Bar anfing. Er wollte nur so lange in der Bar arbeiten bis er genug Geld hatte um die Welt zu bereisen. Er brauchte Startkapital und dann sollte es eher ein Work and Travel Trip werden. Dazu kam es nie. Nachdem er sich mit Jeff anfreundete

und dieser dann so unter dem Verlust seiner Frau und seines Kindes litt, dass Paul für ihn über Monate hinweg, den ganzen Laden schmiss. Danach fühlte es sich immer falsch an zu gehen.
Jetzt war sein Traum schon viele Jahre alt und das Bedürfnis ihn noch umzusetzen, wurde täglich geringer.
Paul bediente die ersten Tische und schickte Jeff eine Nachricht.

Hey Jeff,
wo steckst du? Brauche deine Hilfe in der Bar.
Paul

Die Bar füllte sich weiter. Es kamen mehr Gäste als welche gingen und so dauerte es nicht lange und Paul fing an die Bestellungen zu verwechseln, er irrte durch die Bar, als hätte er heute seine erste Schicht.
Zum Glück kannte er fast alle seine Gäste, außer diesen einen Mann in der Ecke. Sie hatten alle Verständnis als er ihnen sagte, dass er alleine sei und es dadurch heute nicht so schnell ginge.
Die meisten waren sowieso wegen der guten Gesellschaft in der Bar, als wegen der guten Drinks.
Während Paul die Biere zapfte für Tisch neun, an dem fünf Frauen saßen, von denen eine augenscheinlich ihren Junggesellinnenabschied feierte, schaute er flüchtig auf sein Smartphone, aber keine Nachricht von Jeff.

Jeff war der zuverlässigste Kerl den er kannte, selbst im größten Streit würde er nie jemanden hängen lassen.
Nur jetzt im Augenblick, war von ihm weit und breit keine Spur. Paul wurde langsam sauer, was dachte Jeff sich denn dabei, ihn an einem Samstagabend alleine zu lassen, noch dazu ohne ein Sterbenswort zu erwähnen.
Sobald er alle Tische bedient hatte, würde er kurz nach hinten gehen und versuchen Jeff telefonisch zu erreichen aber damit er das tun konnte, servierte, zapfte und mixte Paul im Schnelldurchlauf.
Er nahm sich sein Smartphone, das er üblicherweise immer in der Schublade hinter dem Tresen hatte und wählte Jeffs Nummer.
Eine gefühlte Ewigkeit passierte nichts bis sich Jeffs Mailbox meldete.

Hallo Leute, Jeff hier. Hinterlasst eine Nachricht

Na klasse, sein Telefon war auch noch aus. So sauer konnte Jeff unmöglich sein.
Paul gab sich alle Mühe mit den Bestellungen hinterher zu kommen, als kurz nach einundzwanzig Uhr Jeff endlich in die Bar kam. Er sah abgehetzt und gestresst aus.
»Mann Jeff, wo warst du denn?«
Jeff sprang hinter den Tresen und begann die Bestellzettel abzuarbeiten.

»Sorry Paul, ich musste was Dringendes erledigen. Es ging länger als gedacht und der Akku meines Telefons war leer.«
Paul musterte Jeff, irgendetwas stimmte nicht, da war er sich sicher. Er wusste nur noch nicht, was es war. Sie hatten keine Geheimnisse voreinander, zumindest dachte Paul das bis heute. Dieses Benehmen passte nicht zu Jeff.
»Ist denn was passiert Jeff?«, fragte Paul dann schließlich doch.
Jeff ignorierte Pauls Frage und ging mit dem gefüllten Tablett zu Tisch elf an dem einer seiner Lieblingsstammgäste saß.

Kapitel 18

Sonntag, 24.Oktober 2021 Lea und Nancy

Nachdem Nancy und Lea ihren Abend im Café hatten ausklingen lassen, sollte es einen Sonntag auf dem Sofa geben. Nach den letzten Tagen und den ganzen Strapazen waren beide ziemlich ausgelaugt.

Lea schrieb noch ein paar Seiten für ihr neues Buch und Nancy beschäftige sich derweil mit der Aktivierung ihrer neuen SIM Karte. Ihre alte warf sie weg und mit ihr all den Terror. So hoffte sie zumindest. Sie schickte eine Nachricht an Lucy und Jeff damit die beiden ihre neue Nummer hatten und löschte im selben Zuge die Nummern von Ash und Catharina aus ihrem Telefonbuch heraus.

Dieses Kapitel ist ein für alle mal beendet. Sie beschloss noch schnell ins Café rüber zu gehen um ihre neue Arbeitskleidung abzuholen.

»Lea, ich bin kurz im Café«, mit diesen Worten schloss sie die Wohnungstür und eilte los. Es regnete in Strömen. Sie versuchte so nah wie möglich an den Hauswänden entlang zu laufen, einen Regenschirm nahm sie aus Prinzip nicht mit. Sie hasste sie. Sie waren im Weg und wurden zu triefenden Teilen mit denen man nicht wusste wohin, wenn man einen Laden betrat.

Lucy war wie immer gut gelaunt und scherzte mit den Gästen als Nancy das Café betrat.

Nancy wartete an der Theke auf sie.
»Guten Morgen Nancy, na wie fühlt sich der letzte freie Tag an bevor es morgen ans Eingemachte geht?«, fragte Lucy scherzhaft, während sie die nächsten Kaffees aus der Maschine lies.
»Ich freue mich sehr auf morgen. Ich hoffe nur, ich komme mit diesem Monstrum von Kaffeemaschine zurecht«, sagte Nancy und sah die vielen Knöpfe, die ihr schon etwas Angst machten.
»Übrigens, dort drüben wartet jemand auf dich«, Lucy zeigte nach rechts auf den wohl beliebtesten Platz hier im Café. Er hatte den meisten Abstand zu den anderen Tischen, so hatte man am meisten Ruhe um zu schreiben und war in der hintersten Ecke.
Nancy folgte mit ihrem Blick dem Zeigefinger von Lucy als ihr der Atem stockte und sie sich an ihrer eigenen Spucke verschluckte. Sie hustete so heftig, dass sie alle anstarrten. Sie hatte ein Talent dafür die Aufmerksamkeit, die sie so gar nicht mochte, auf sich zu lenken.
Mit wackligen Beinen ging sie zum Tisch. Sie spürte wie ihr schlecht und schwindlig wurde, als müsste sie sich jeden Augenblick übergeben.
Sie konnte nichts sagen, sie starrte sie einfach nur an.
»Hey, schön, dass du heute doch noch herkommst. Die Bedienung war sich nicht sicher ob du heute auftauchen würdest aber ich hätte den ganzen Tag gewartet«, sagte Catharina und wusste nicht recht ob

sie Nancy anlächeln sollte oder nicht. Sie kam sich unbeholfen vor und war nervös.
Tausend Gedanken schossen Nancy durch den Kopf, es war unmöglich diese zu sortieren. Alles um sie herum hatte sie ausgeblendet.
Minuten vergingen, Catharina und Nancy starrten sich an, keine bekam mehr ein Wort raus.
Doch Catharina brach das Schweigen.
»Hör zu, ich muss und will dir so vieles erklären aber nicht hier«, Catharina steckte Nancy einen Zettel zu mit den Worten: »Wir treffen uns dort, morgen um achtzehn Uhr« und verschwand so unverhofft wie sie aufgetaucht war.
Nancy schaute ihr nach, fassungslos, unfähig etwas zu tun oder zu sagen. Sie lies sich in den Sessel vor ihr nieder und war so weiß, dass sie glatt als lebende Leiche durchgegangen wäre. Nur, dass heute nicht Halloween war.
Lucy beobachtete das ganze Geschehen und stellte Nancy eine Tasse Tee hin.
»Nancy, alles okay bei dir? Was war das denn?«, wollte Lucy wissen und setzte sich neben sie.
Nancy rang nach Worten, den Zettel immer noch in der zitternden Hand haltend, wagte sie es nicht ihn anzuschauen.
»Ich … ich weiß es … nicht so genau«, Nancy schaute auf den Zettel in ihrer Hand, dann zu Lucy … »Das war meine Ex. Meine Ex die vor über drei Monaten einfach weg war, von einem Tag auf den anderen«,

sagte Nancy während in ihren Augen die ersten Tränen glitzerten.
Lucy legte eine Hand auf Nancys Schoß.
»Geh nach Hause, du bist völlig durch den Wind.« Lucy fiel nichts besseres ein. Sie kannte Nancy kaum, geschweige denn ihre Geschichte.
»Ja, ich trinke noch den Tee und dann gehe ich, ich brauche noch ein paar Minuten.« Sie musste erst durchatmen und wieder klar werden. Sie drehte den Zettel zwischen ihren Fingern hin und her. Sollte sie ihn einfach wegwerfen und so tun als wären die letzten Minuten nie passiert oder sollte sie doch zumindest einen Blick darauf werfen? Einerseits wollte sie nichts mehr als abzuschließen, andererseits wollte sie Antworten auf die Fragen die sie seit der Trennung immer wieder quälten.
Lucy hatte sich wieder ihrer Arbeit gewidmet, behielt Nancy aber im Auge. Sie wusste selbst nur zu gut wie es war sitzengelassen zu werden. Ihr Ex Mann hatte das auch getan. Eines Abends kam er nach Hause, packte seine Tasche und verkündete, ohne jegliche Vorwarnung, dass er eine neue hätte. Das war zwar schon sechs Jahre her aber Lucy konnte sich an diesen Moment erinnern, als sei es gestern gewesen. Sie hatte die Trennung zwar gut überwunden und mittlerweile einen tollen Mann an ihrer Seite, seit über zwei Jahren, aber den Schmerz wird sie nie vergessen können. Sie war glücklich mit John und am Ende froh, dass alles so

kam, aber der Weg bis dahin war der schwerste den sie in ihrem Leben gehen musste.

Nancy schwankte noch immer zwischen Neugier und Angst. Und was sollte sie Lea erzählen? Die Wahrheit, die angeblich immer das Richtige war oder schweigen und selbst damit fertig werden und es ignorieren, was wiederum die Gefahr barg, dass Lea es irgendwie trotzdem herausfand.
Vielleicht sollte sie wenigstens schauen was auf dem Zettel stand und dann könnte sie immer noch entscheiden was sie tun sollte.
Sie faltete den Zettel so langsam auf als würde er sofort in tausend Teile zerfallen wenn sie nicht vorsichtig genug war.

Zwölfte Straße am Rosmarin Restaurant. Ich werde warten

Die selbe Schrift, wie auf dem Zettel in ihrem Briefkasten. Catharina war es die ganze Zeit gewesen. Es war unmöglich diese Handschrift zu fälschen. Die zwölfte Straße war recht weit weg. Nancy kannte das Rosmarin Restaurant nur vom Hörensagen, war aber selbst noch nie dort. Warum Catharina ausgerechnet das ausgewählt hatte, war ihr ein Rätsel aber je länger sie darüber nachdachte, desto weniger hatte sie das Bedürfnis morgen um achtzehn Uhr dort zu sein.
Nancy lies den Zettel auf dem Tisch neben ihrer Tasse liegen und ging.

Kapitel 19

Sonntag, 24. Oktober 2021 in der Jackson Bar

Paul und Jeffrey hatten eine lange Nacht hinter sich, die letzten Gäste waren erst gegen drei Uhr morgens gegangen. Sie hatten die gesamte Zeit über kein Wort mehr miteinander gesprochen. Paul spürte, dass etwas nicht stimmte, wusste aber nicht was er tun oder sagen sollte denn Jeff benahm sich eigenartig. Da die Bar sonntags schon um zehn Uhr wieder öffnet und Brunch anbot, das sehr beliebt war und meist mehrere Sonntage im Voraus ausgebucht war, mussten beide mit wenig Schlaf auskommen und morgens um sieben Uhr spätestens wieder im Laden stehen, damit sie alle Vorbereitungen treffen konnten.

Jeff war schon in der Bar als Paul kam. Er sah aus, als hätte er hier übernachtet.

»Guten Morgen Boss«, versuchte Paul das Eis zwischen ihnen zu brechen.

Jeff sah abgespannt aus und seine Augen verrieten, dass er noch weniger geschlafen hatte als Paul.

»Morgen Paul«, sagte Jeff, kurz und knapp, mit krächzender Stimme.

»Könntest du bitte alles weitere vorbereiten, ich bin im Büro«, so verschwand Jeff hinter der Tür die hinter dem Tresen war.

Paul konnte sich einen Seufzer nicht verkneifen.

Was hatte der Kerl nur …

Er legte eine Käseplatte, garnierte diese mit Tomaten und Gurken und schnitt eine große Schüssel Obstsalat.
Er warf das Messer hin und ging zu Jeffs Büro. Es reichte ihm, er wollte dem Problem auf die Spur gehen und ertrug das Getue von Jeff nicht.
Ohne zu klopfen betrat er das Büro …
»Wir sollten mal reden!«, sagte Paul.
Jeff saß an seinem Tisch, den Kopf in die Hände gestützt als sei er zu schwer und weinte. Er weinte so sehr, dass sein ganzer Körper bebte. Er schaute nicht zu Paul auf, sondern vergrub sein Gesicht in seinen Händen.
Paul hatte Jeff in all den Jahren nur einmal weinen gesehen, das war als seine Frau und sein Ungeborenes starben. Er hatte bei der Arbeit immer das perfekte Pokerface und ging mit seinen Gefühlen nie hausieren aber dieses Mal musste es etwas sein, dass er nicht mehr verbergen konnte.
Paul wusste nicht so recht wie er an Jeff herantreten sollte, sie waren schon so lange befreundet und sprachen über das Meiste, aber Jeff so zu sehen, machte Paul machtlos. Zumindest fühlte er sich so.
»Jeff, was ist passiert?« brachte Paul nur leise raus. Jeffs Schluchzen war deutlich lauter.
Er stand immer noch in der Tür und wagte es kaum einen Schritt weiter ins Büro zu machen.
Wie ein kleines, überfordertes Kind stand er da und hasste sich im selben Moment dafür, dass er so unbeholfen war.

»Ich kann es dir nicht sagen … es geht einfach nicht, geh bitte«, war das einzige, das Jeff sagen konnte und winkte Paul mit einer Handbewegung hinaus.
Paul blieb kurz stehen, war aber der Meinung, Jeffs Wunsch nachzukommen wäre jetzt das Beste und ging zurück hinter den Tresen.
Gedankenverloren bereitete er weiter alles für den Brunch vor. Überlegte ob er Nancy eine Nachricht schicken sollte. Sie war die einzige mit der Jeff über alles sprach. Als seine Frau starb war Nancy tagein, tagaus bei ihm gewesen und war ihm in der schwierigen Zeit eine bessere Stütze gewesen, als er es hätte je sein können. Niemand hatte ihm je beigebracht wie man mit solchen Situationen umging.
Er hatte niemanden als Kind oder Teenager von dem er sich das hätte abschauen können.

Hey Nancy, komm in die Bar. Wichtig. Für Jeff.
Paul

Paul schrieb nicht gerne Nachrichten, darum fasste er sich immer kurz. Nur das Allernötigste, aber er hoffte, dass Nancy verstand wie dringend es war. Er wusste sich anders nicht mehr zu helfen.
Wie es schien, hatte Nancy jedoch ihr Telefon gar nicht eingeschaltet oder war in einem Funkloch unterwegs, die Nachricht ging raus aber wurde nicht zugestellt.

Paul sank auf einen der Barhocker, spielte mit einem Bierdeckel zwischen den Fingern und wartete darauf, dass eine Lösung herbeigeflogen kam.
Das machte er oft wenn er nicht weiter wusste. Als ob sich Probleme in Luft auflösen würden oder jemand an die Tür klopfte und sagte: „Hier die Lösung, benutze sie.“
Er wusste wie dumm das war und trotzdem tat er es immer und immer wieder.

Kapitel 20

Sonntagnachmittag, Nancy und Lea

Als Nancy zuhause ankam, wurde sie von einem wunderbaren Duft empfangen. Es roch wie an Weihnachten wenn sie zu ihren Eltern kam. Holzig vom Kamin, nach Crêpesteig mit Zimt und Zucker und nach Glühwein. Nancy liebte Glühwein, zwar hasste sie den Winter aber jede Jahreszeit hatte am Ende etwas schönes und bei der Kälte war es definitiv Glühwein und ein flackernder Kamin. So konnte man den Winter aushalten.

Lea hatte ordentlich aufgetischt. Sie war also nicht nur eine Wahnsinns Autorin, sie war wohl eine ebenso gute Köchin.

Nancy folgte dem Duft ins Esszimmer. Lea hatte sogar den Tisch dekoriert und ein Kerzenmeer aufgestellt.

Das hatte Catharina nie für sie getan, daran hätte sie sich erinnern können.

Sie wollte es nicht aber trotzdem erwischte sie sich selbst immer wieder dabei wie sie die beiden miteinander verglich. Dabei waren sie von Grund auf völlig verschiedene Menschen mit ihren Stärken und Schwächen.

»Hallo Lea, es riecht so toll«, sagte Nancy und gab Lea einen Kuss. Lea lächelte sie an und rückte einen Stuhl für Nancy nach hinten und lud sie mit ihrem Blick ein sich hinzusetzen.

»Alles für dich«, sagte Lea und machte eine Handbewegung die den ganzen Tisch präsentieren sollte.

Nancy wollte den Moment auf keinen Fall zerstören aber sie hatte Gewissensbisse, wenn sie Lea nichts erzählte. Sie konnte nicht hier mit ihr sitzen, sich über dieses wundervolle Essen freuen und so tun als wäre nicht soeben das Unfassbarste passiert.

Lea setze sich auf den Platz neben sie, da ergriff Nancy die Chance bevor sie doch noch zu feige war um es ihr zu sagen.

»Ich muss dir noch was erzählen. Als ich ins Café kam, saß da Catharina, meine Ex, und wartete auf mich. Sie steckte mir einen Zettel mit einer Adresse zu, an der sie mich morgen Abend treffen möchte, aber ich werde nicht hingehen, ich wollte nur, dass du es weißt.«

Nancy beobachtete Leas Reaktion aber da passierte nicht viel. Sie sagte zunächst auch nichts, hielt aber Nancys Blicken stand. Man konnte förmlich sehen wie es in ihrem Kopf arbeitete. Wahrscheinlich wusste Lea es nicht recht einzuordnen.

Lea stand ohne ein Wort auf und ging in die Küche.

Ein paar Minuten später kam sie mit zwei Tassen Glühwein zurück.

»Hier, für dich, sogar mit Schuss. Wie es scheint, kannst du es gerade gut gebrauchen«, sagte Lea in einer Stimmlage, die Nancy nicht recht einzuordnen wusste und deswegen erstmal nichts dazu sagte.

»Danke, dass du es mir erzählt hast. Es ist mir nicht egal, dass deine Ex immer dazwischen funkt aber am

Ende musst du wissen, wie du damit umgehen möchtest. Wenn du sie treffen willst, dann tu das.« Jetzt war ihr Ton klar als wütend zu definieren. Lea musste sich alle Mühe geben, sich im Zaum zu halten.

»Ich gehe nicht. Es ist mir egal«, versuchte Nancy so sanft wie möglich zu sagen, auch wenn es sie selbst auch ein bisschen wütend machte, denn sie wollte doch nur mit offenen Karten spielen.

»Dann ist ja gut. Lass uns essen bevor alles kalt wird«, antwortet Lea und ja, sie klang dabei etwas bockig, wie ein Kind in der Trotzphase.

Schweigend aßen sie, beide stocherten Gedankenverlorenen in ihrem Essen herum und fühlten sich schlecht dabei.

Manchmal schien es egal zu sein wie man es machte, es war nie so ganz richtig.

Das Klingeln von Nancys Telefon riss die beiden aus ihren Gedankengängen.

Da, mit Lea, nur drei Personen die neue Nummer hatten, konnte die Nachricht nur von Jeff oder von Lucy sein.

Dabei fiel Nancy ein, dass sie ihren Eltern die Nummer noch nicht geschickt hatte.

Sie schaute aufs Display auf dem eine Nummer erschien, die sie zwar kannte es aber unmöglich war, dass sie ausgerechnet von dieser eine Nachricht bekam.

Es war die Nummer von Ash.

Nancy konnte ihren Blick nicht vom Display abwenden, war aber auch nicht in der Lage es in die Hand zu nehmen. Sie spürte Leas Blick auf sich ruhen, ein Blick der wild zwischen ihr und dem Telefon hin und her schweifte.

»Willst du nicht nachschauen?«, fragte Lea, in der ein komisches Gefühl aufkam, es machte sie nervös und zugleich verlor sie die Geduld. Es brodelte förmlich in ihr.

Nancy schaute Lea in die Augen und sagte: »Es ist von Ash.«

Leas Blick verfinsterte sich und ihre Augen wurden zu kleinen Schlitzen.

Sie spürte wie Hitze in ihr Aufstieg, Hitze der Wut.

»Das ist doch völlig unmöglich oder hast du ihr etwa deine neue Nummer zugeschickt?«, fragte Lea, etwas lauter und rauer, als sie es eigentlich wollte, doch sie konnte ihre Gefühle kaum noch zurückhalten.

»Ich habe ihr nichts geschickt« schrie Nancy nun und stand mit einem Ruck auf, sodass der Stuhl hinter ihr umfiel und mit einem dumpfen Knall zu Boden ging.

Lea sprang hinterher und griff nach Nancys Arm, sie zerrte so stark an ihm, dass Nancy sich mit einem Satz zu Lea drehte.

»Nancy, was zum Teufel ist hier los?« schrie Lea, außer sich vor Wut.

Nancy erschrak sich so sehr vor Leas Reaktion, dass sie erst gar nicht versuchte sich herauszuwinden sondern Lea fassungslos anstarrte.

Ihre Lippen bebten und wie so oft, wenn sie zu viel Wut oder Verzweiflung empfand, füllten ihre Augen sich mit Tränen.

»Verdammt nochmal Lea, ich weiß es doch selbst nicht«, schrie sie so laut, dass ihr der Hals schmerzte.

Die Gefühle kochten über, beide empfanden den Drang einfach aus der Situation davonzulaufen. Doch war auch beiden bewusst, dass dieses Verhalten alles noch schlimmer machen könnte. Denn danach wieder einen Anfang zu finden, war schwer. Je länger man schwieg, umso schwieriger wurde es.

Gleichzeitig hatte Nancy das Gefühl, Lea mehr denn je zu brauchen, bevor sie den Verstand verlor und obwohl sie eine Beziehung auf der Überholspur führten, war Nancy sich sicher, dass Lea im Moment der einzige Mensch in ihrem Leben war, dem sie vertrauen konnte.

Nancy schmiegte sich an Lea und hielt sich an ihr fest, als würden sie mitten in einem Tornado stehen und Lea wäre der Anker, der niemals nachgeben würde.

Lea schlang ihre Arme um Nancy und flüsterte ihr zu: »es tut mir leid, wir bekommen das hin. Lass uns die Nachricht gemeinsam anschauen und dann entscheiden, was wir tun.«

Diese Worte waren wie Balsam. Auch wenn man sagte, dass Taten mehr als Worte wert waren, so haben Worte eine Kraft, die man nicht unterschätzen durfte. Sie können einen Menschen nicht nur zerstören, sie können ebenso eine heilende Wirkung haben.

»Danke. Danke für alles, Lea«, sagte Nancy, löste sich aus der Umarmung, griff nach ihrem Telefon und öffnete die Nachricht.

Geh morgen auf keinen Fall zu dem Treffen mit Catharina.
Deine Ash

Verwundert waren sie beide. Wie konnte Ashley überhaupt etwas davon wissen? Woher hatte sie Nancys neue Nummer und was spielten Ash und Catharina für ein Spiel?
»Vielleicht sollten wir die Polizei hinzuziehen?«, brach Lea das Schweigen.
»Und was soll ich denen erzählen? Dass meine Ex abgehauen ist, danach meine beste Freundin … Ex beste Freundin ebenfalls verschwunden ist und mich nun beide observieren? Das glaubt mir doch kein Mensch. Davon abgesehen, hat mir keine von beiden etwas angetan. Einen Teufel wird die Polizei tun, solange niemandem etwas passiert ist«, antwortete Nancy mit mehr Wut in der Stimme als sie wollte.
Doch die Wut war nicht gegen Lea gerichtet, die war der Situation geschuldet und weil sie sich so machtlos fühlte.
»Sorry, du hast recht, das war eine blöde Idee. Dann müssen wir das eben selbst in die Hand nehmen.«
»Wie?«

»Wir gehen morgen gemeinsam zu dem Treffen um das Catharina dich gebeten hat und werden sie ausquetschen wie eine Zitrone«, sagte Lea mit aller Überzeugung die sie aufbringen konnte, voller Tatendrang, sie war bereit dem Spuk ein für alle mal ein Ende zu bereiten.
Nancy zögerte, sie wusste nicht so recht, ob das die beste Lösung war. Sie hatte Angst, denn sie war sich nicht mehr sicher, mit was für einem Menschen sie die zwölf Jahre zusammen war und ob Ash überhaupt Ash war.
»Was ist, wenn sie mich nur in eine Falle locken will? Vielleicht geht ja meine Fantasie mit mir durch oder ich habe zu viele schlechte Filme geschaut aber mittlerweile traue ich den beiden alles zu«, sagte Nancy und schaute besorgt zu Lea.
»Wir sind zu zweit und zusammen werden wir stärker sein, egal was passiert«, sagte Lea, ein bisschen mehr zu sich selbst als zu Nancy.
»Lass uns eine Nacht darüber schlafen und wir sehen dann morgen weiter. Ich werde noch mit Jeff telefonieren.«
Nancy war sich nämlich bei weitem nicht so sicher wie es Lea zu sein schien.

Kapitel 21

Sonntagabend in der Jackson Bar

Jeff lies sich erst zum Abendgeschäft blicken. Er musste noch Stunden geweint haben. Seine Augen waren verquollen und blutrot. Er sagte kein einziges Wort zu Paul und der nahm es so hin, denn er wusste damit nicht umzugehen und auch Nancy hatte sich nach wie vor nicht bei ihm gemeldet.

Jeff bewegte sich wie ferngesteuert bis sein Smartphone klingelte und ihn aus seiner Trance riss.

Er überlegte ob er ran gehen sollte, ihm war nicht nach reden zu Mute und als er sah, dass es Nancy war, erstarrte er.

Paul schielte auf Jeffs Telefon und sagte: »Geh ran, ich habe Nancy heute geschrieben, wahrscheinlich ruft sie deswegen an.«

Jeff versuchte zu sortieren was Paul da sagte, etwas daran passte nicht, doch er wusste nicht, was es war.

Das Telefon verstummte und zeigte einen Anruf in Abwesenheit an.

»Wieso hast du Nancy geschrieben?«, fragte Jeff, während er immer noch auf sein Telefon schaute.

»Weil du in einem Zustand warst in dem ich nicht mehr wusste, was ich tun oder sagen sollte und ich weiß, dass Nancy die einzige ist, der du dich auch mal anvertraust.«

»In diesem Fall aber nicht, also halt dich da raus, ein für alle mal«, schrie Jeff so wütend, dass er Paul anspuckte und wieder in seinem Büro verschwand.
Paul stand völlig bedröppelt da und verstand immer weniger.
Wie schlimm musste es sein, dass Jeff nicht einmal mit Nancy sprechen wollte.
Paul kamen die wirrsten Ideen. Vielleicht war Jeff ja todkrank? Bei dem Gedanken bekam er es mit der Angst zu tun. Das würde sein merkwürdiges Verhalten zumindest erklären.
Aber ohne auch nur ein Wort von Jeff war es wie die Suche nach der Nadel im Heuhaufen.
Paul beschloss, es erstmal auf sich beruhen zu lassen, bevor es ihn noch wahnsinnig machte.

Jeff saß in seinem Büro und überlegte, ob er Nancy zurückrufen sollte. Sie hatte ihn nun schon dreimal versucht zu erreichen und jedes Mal war er zu feige ranzugehen. Er schämte sich so sehr. Er hielt sich immer für einen guten Menschen, doch mittlerweile hielt er von sich selbst nicht mehr das geringste. Was war nur in ihn gefahren. Er konnte kaum noch schlafen, so sehr quälte ihn sein Gewissen und das zu recht. Er hatte es verdient und er würde sich selbst nicht verzeihen können, also wie sollte es Nancy jemals können.
Erneut ertönte die Melodie von Eye of the Tiger, seit eh und je Jeffs Klingelton.

»Du musst dafür sorgen, dass Nancy sich morgen auf keinen Fall mit Catharina trifft. Sie ist wieder in der Stadt.«, sagte Ashley und legte auf, noch ehe Jeff begriff.
Ihn packte eine so derartige Wut, dass er sein Telefon gegen die Tür schmetterte und es in Teile zerfiel.
Ich muss dem ein Ende setzen.
Jeff warf seine Jacke über und verlies die Bar.
Er raste in seinem Pick Up durch die Stadt und war sich nicht einmal sicher, ob es Sinn machte was er da tat. Doch er musste etwas tun anstatt noch länger tatenlos zuzusehen.
Er konnte nichts mehr rückgängig machen aber er konnte retten was es zu retten gab.
Vor Ashleys Haus angekommen parkte er den Pick Up quer auf dem Gehweg und sprang raus. Wie wild drückte er auf jede einzelne Klingel. Er wusste genauso wenig wie Nancy wo Ash steckte aber er war sich sicher sie zu finden.
Ein Nachbar öffnete ihm die Tür im Erdgeschoß und schaute ihn fragend an.
»Kann ich Ihnen helfen?«
Jeff schaute sich im Treppenhaus um.
»Äh … ja also vielleicht. Die Dame die hier vor kurzem ausgezogen ist, wissen Sie wohin sie gegangen ist?«
Der Mann kramte sichtlich in seinem Gehirn.
»Sie meinen wahrscheinlich Frau Brown?«
»Ja genau. Ich suche sie.«

»Tut mir leid, ich weiß leider nichts. Sie war plötzlich ausgezogen und es gibt noch keinen neuen Mieter. Man kennt sich hier im Haus mehr oder weniger aber so wirklich miteinander zu tun hat man mit den anderen Hausbewohnern nicht, darum macht es wahrscheinlich nicht viel Sinn bei den anderen Nachbarn zu fragen«, sagte der Mann und schloss die Wohnungstür.

Jeff verlies jetzt schon der Mut. Der Tatendrang den er verspürte, als er aus der Bar rannte, war verflogen.

Er hatte zu wenige Anhaltspunkte um Ashley zu finden. Sie konnte auf der ganzen Welt sein.

Er wusste ebenso wenig was Catharina vor hatte und wo sie steckte. Die Stadt war zwar nicht riesig aber groß genug, dass es ohne Anhaltspunkte nahezu unmöglich war jemanden zu finden, der nicht gefunden werden möchte.

Ashley hatte ihm auch nicht gesagt, wo das Treffen morgen stattfinden sollte. Wenn er Nancy versuchen würde davon abzuhalten, würde diese keine Ruhe geben, bis sie wusste was los ist. Dieses Risiko konnte er nicht eingehen. Es war ihm egal was Ashley sagte, sollte sie ihm doch drohen womit sie wollte. Sein Leben machte, seit er seine Frau verloren hatte, sowieso nur noch sehr wenig Sinn, sollte er also am Ende auch noch seine Bar verlieren, dann soll es so sein.

Er hatte die Bar nur noch um sich abzulenken, sie half ihm, nicht Tag und Nacht an diesen schrecklichen

Verlust zu denken. Er war sich sicher, niemals darüber hinweg zukommen.

Auf dem Heimweg hielt er an einer Tankstelle und holte sich eine Flasche Whisky. Die musste ihn durch die Nacht bringen.

Kapitel 22

Montagmorgen, 25. Oktober 2021 Nancy und Lea

Nancy zerbrach sich die ganze Nacht so sehr den Kopf über den heutigen Abend, dass sie kaum zur Ruhe kam. Heute war ein wichtiger Tag für sie. Nicht weil ihre Ex ihr anscheinend eine Erklärung liefern wollte, heute war ihre erste Schicht im Schreiberling und sie wollte sich von ihrer besten Seite zeigen. Sie musste diese bleierne Müdigkeit, die ihr in den Knochen steckte, ignorieren und ihre Gedanken abschalten um sich konzentrieren zu können.

Lea war schon sehr früh aufgestanden, hatte das Frühstück gerichtet und saß im Büro über dem nächsten Kapitel. Heute fiel es ihr nicht so leicht an ihrer Geschichte zu arbeiten, denn die Gedanken an heute Abend beschäftigen sie mehr als sie sich eingestehen wollte.

Immer wieder fing sie den selben Satz an zu tippen, löschte wieder, dachte nach, fing von vorne an um am Ende einen ganzen Abschnitt zu löschen. So würde sie ihre Deadline niemals einhalten können.

Das Buch sollte vor dem Weihnachtsgeschäft veröffentlicht werden aber wenn es weiter so schleppend liefe, dann würde es das Weihnachtsgeschäft 2022 werden. Es herrschte derzeit einfach zu viel Unruhe in ihrem Leben.

Als Lea gedankenverloren auf ihr Tablet schaute, betrat Nancy das Büro.
»Guten Morgen Süße, arbeitest du schon?«, fragte Nancy und legte ihre Hände auf Leas Schultern.
»Hey, guten Morgen, hast du gut geschlafen?« Lea stand auf und gab Nancy einen Kuss.
»Ja,… nein, um ehrlich zu sein nicht so besonders gut. Aufregender Tag heute.« Sie war sichtlich nervös.
»Wegen der Arbeit oder wegen des Treffens?«, wollte Lea wissen, während sie an Nancy, ins Esszimmer, vorbei lief.
»Ach, ich denke beides. Sollen wir heute Abend wirklich hin? Ich habe die halbe Nacht darüber nachgedacht, bin aber zu keinem Entschluss gekommen.«
Lea dachte nach. Sie wollte Nancy zu nichts zwingen aber sie wollte, dass sie endlich ihre Beziehung genießen konnten und all diese Störfaktoren aus ihrem Leben verschwanden.
Sie wollte nur das Beste, wusste aber selbst nicht, was das Beste war.
»Liebes, am Ende musst du es natürlich selbst wissen aber wenn du gehen möchtest, werde ich mitgehen«, sagte Lea während sie Nancy umarmte.
Sie wollte ihr Sicherheit vermitteln ohne sie zu bedrängen, was wiederum bedeutete, dass sie ihren Wunsch nach Klärung zurückstellen musste, wenn Nancy es für besser hielt.
»Ich werde nun erstmal zur Arbeit gehen und wenn ich wieder da bin, haben wir immer noch genug Zeit es

zu entscheiden«, sagte Nancy und ging ins Badezimmer.
Lea machte in der Zwischenzeit noch ein paar Pancakes und zwei Tassen Kaffee.

Lea musste heute unbedingt mindestens zwei, besser noch drei Kapitel schreiben. Es müsste reichen, bis Nancy wieder nach Hause kam und vielleicht hätte sie noch Zeit im Schreiberling Café vorbeizuschauen.

Nancy wurde immer nervöser und obwohl sie nur um die Ecke laufen musste um ins Café zu kommen, brauchte sie doppelt so lang, weil sie unterwegs stehen blieb und am liebsten wieder zurückgelaufen wäre. Sie hatte immer furchtbare Angst vor neuen Sachen. Dass der Mensch ein Gewohnheitstier war, sah man an Nancy.
Manche freuten sich, wenn sie etwas Neues erleben durften, wenn ein neuer Lebensabschnitt begann, nur Nancy nicht, sie machte sich immer so viele Gedanken und hatte so viele Horrorvorstellungen davon, was alles geschehen konnte, dass sie sich selbst verrückt machte. Es gab schon immer wieder Situationen in denen sie am Ende gekniffen hatte, weil sie sich doch nicht traute und sich sicher war, sie würde es nicht schaffen. Selbst ihr Schülerpraktikum als sie vierzehn Jahre alt war, hatte sie vermasselt. Sie hatte so lange getrödelt, weil sie sich nicht traute, dass es dann zu spät war um hinzugehen.

Also meldete sie sich krank und tat die ganze Woche so, als hätte sie fürchterliche Schmerzen.
Nun aber war sie 24 Jahre älter und hatte gelernt, auch wenn es ihr noch so viel Angst machte, man konnte sich nicht vor allem drücken.
Nancy betrat zaghaft das Café, in dem schon recht viel los war. Der typische Montagmorgen, abgehetzte, müde Gestalten die entweder ein hartes Wochenende hatten mit zu viel Wein oder die, die immer noch müde waren, trotz dessen, dass sie den ganzen Sonntag auf der Couch gelegen sind und ein Mittagsschlaf nach dem anderen hielten.
Wer mochte schon den Montag. Selbst wenn man seinen Beruf liebte war der Montag trotzdem nicht der beliebteste Wochentag.
Die ersten bekannten Gesichter die täglich dort waren um zu schreiben waren auch schon da und sahen aus, als hätten sie das ganze Wochenende durchgeschrieben. Besessen davon, so schnell wie möglich fertig zu werden und ja in keine Schreibblockade zu fallen.
»Guten Morgen Lucy«, sagte Nancy und versuchte entspannt und fröhlich zu wirken.
Lucy war schon in ihrem Element und servierte einen Kaffe nach dem anderen.
»Guten Morgen Nancy, schnapp dir eine Schürze, ich erkläre dir gleich das Herzstück«, sagte Lucy und meinte damit die Kaffeemaschine.

Die Einweisung musste im Schnelldurchlauf vonstatten gehen, denn das Café war mittlerweile gefüllt bis auf den letzten Platz.
Während Lucy zwei Tabletts nahm, versuchte Nancy das eine nicht fallen zu lassen. Sie machte den Fehler, den alle zu Beginn taten, sie schaute auf die Tassen auf dem Tablett, anstatt nach vorne und so war sie heilfroh über jede Ladung die sie unbeschadet an einen Tisch brachte, denn bei jedem Schritt drohte der Inhalt heraus zu schwappen.
Sie war so konzentriert, dass sie gar nicht dazu kam über heute Abend nachzudenken. Sie wollte gar nicht wirklich darüber nachdenken, es machte ihr Angst. Viel leichter wäre es doch einfach davon zu laufen, auszuwandern, den Stadtteil zu wechseln.

Lea war endlich mal wieder so fokussiert, dass sich die Worte und die Geschichte in ihrem Kopf schneller formten, als sie sie tippen konnte. Auch all die Dinge die im Moment geschahen, halfen ihr dabei.
Manchmal nahm sie aus dem Alltag kleinste Situationen und formte diese zu einem ganzen Kapitel.
Alleine deswegen schon betrachtete sie den Alltag anders als andere Menschen. Sie sah ihn mit anderen Augen. Selten saß sie da und musste über den weiteren Verlauf ihrer Geschichte nachdenken. Sie freute sich schon auf das Treffen heute Abend, sie wollte es Catharina so richtig zeigen, damit sie kapierte, dass Nancy nun zu ihr gehörte und wahrscheinlich würde

sie auch dem ein Kapitel oder zumindest einen Abschnitt widmen.

Nancy fand immer besser in ihre neuen Aufgaben und ihre anfängliche Anspannung löste sich allmählich.
»Nancy, du hast gestern diesen Zettel auf dem Tisch liegen lassen, ich habe ihn dir aufgehoben, ich dachte, du brauchst ihn vielleicht und hast ihn nur vergessen«, sagte Lucy und zeigte auf das Stück Papier das auf der Theke lag.
»Ja, danke«, Nancy fragte sich, ob es so sein sollte. War es ein Zeichen dafür, dass sie heute Abend doch gehen sollte?

Kapitel 23

Sonntag, 24. Oktober 2021 Ashley

Ashley hatte sich in ihrer neuen Wohnung, die in einem Sechsparteienhaus war, für die kurze Zeit schon gut eingelebt. Immerhin hatte sie sich für die Planung vier Wochen Zeit gelassen und die Möbelpacker hatten so schnell gearbeitet, dass keine Gefahr drohte, erwischt zu werden.
Sie wusste längst, dass sie etwas angerichtet hatte, das nicht mehr gutzumachen war, aber ihr blieb nichts anderes übrig, als den Plan zu beenden, den sie sowieso schon kurzfristig geändert hatte, weil sie selbst die Nerven verlor, beziehungsweise wieder zur Besinnung kam. Manchmal konnte so ein Gehirn komplett aussetzen, aber bei sich selbst hatte sie es zum ersten Mal erlebt. Sie hatte sich schon immer gefragt, was in diesen Menschen die etwas völlig Irres taten vorgeht.
Jetzt wo sie selbst so etwas getan hatte, hatte sie immer noch keine Antwort darauf. Sie war wie ferngesteuert und hatte keine Macht mehr über sich selbst. Nicht über ihre Gedanken und nicht über ihr Handeln. Sie war nicht mehr Herr ihrer Sinne und genau dafür musste sie ihre geliebte Stadt verlassen und hier nun von vorne beginnen. Sie war über dreitausend Kilometer von ihrer Heimat weg und es gab kein

zurück mehr. Sie würde nie wieder Zurück kehren können.
Sie hatte hier einen Job gefunden den sie liebte. Sie betreute eine Galerie, war die Ansprechpartnerin für Besucher und für die Künstler aus aller Welt. Doch sie war einsam. Sie wollte all das was sie nicht haben konnte. Am Ende hatte sie weniger als zuvor. Darum arbeitet sie fast Tag und Nacht um abgelenkt und beschäftigt zu sein. Nebenbei versuchte sie alles mögliche um Catharina unter Kontrolle zu halten. Sie stellte aktuell die größte Gefahr dar. Entweder hatte sie etwas herausgefunden, dass Ashley auffliegen lies oder ihre Gefühle waren stärker als der Hass den sie spüren müsste.
Zum Glück hatte Hektor ihr heute erst versichert, dass alles im Griff sei. Er war ihr letzter Informant. Selbst Jeff meldete sich nicht mehr.
Vielleicht sollte sie Hektor zu Jeff schicken, damit dieser ihn eindeutig an ihre Abmachung erinnern konnte, bevor alles aus dem Ruder lief. Eine kleine Erinnerung hatte noch niemandem geschadet.

Kapitel 24

Montag 25. Oktober 2021 Jeffrey

Jeffrey war die ganze Nacht durch die Stadt gefahren. Er wusste nicht, was er glaubte zu finden. Jedes Mal, wenn er an der Kreuzung stand an der das Busunglück geschehen ist, bei dem seine Frau und sein Ungeborenes starben, hasste er sich und sein Leben bis ins Unermessliche. Er vermied es, um sich nicht selbst zu zerstören, das hatte er schon viel zu lange getan und während er sich selbst zerstörte, starb seine Familie. Nur wusste das niemand, niemand außer Ashley.
Er war unendlich müde, er konnte kaum noch klar denken und am Ende war sein nächtlicher Ausflug völlig sinnlos gewesen. Paul musste den Laden erstmal alleine bedienen, er brauchte eine große Mütze voll Schlaf auch wenn er sich nicht vorstellen konnte einzuschlafen. Zu schwer wiegte der Schmerz in seiner Brust und die endlosen Selbstvorwürfe machten es nicht einfacher. Er hatte nicht nur seine Frau und sein Baby auf dem Gewissen, er war genauso mitschuldig an der Situation in der Nancy nun steckte.
Es wäre ihm lieber gewesen, er wüsste von alledem nichts.
Unterbewusst war ihm klar, dass früher oder später alles eskalieren und die Wahrheit ans Licht kommen würde. Es war nur noch eine Frage der Zeit und das warten darauf zermürbte ihn mit allen Mitteln.

Als er zuhause ankam, legte er sich auf die Couch, im Bett schlief er schon lange nicht mehr. Er ertrug es nicht dort alleine zu liegen, seine Hand auf der Bettseite seiner Frau, die Seite die nun leer war und das wegen ihm.
Er schlief seit dem Verlust nur noch in kurzen Abschnitten, in denen er jedes Mal von quälenden Albträumen heimgesucht wurde. Er konnte sich nicht mehr daran erinnern, wann er das letzte Mal richtig geschlafen hatte. Wahrscheinlich war es die letzte Nacht mit seiner Frau.
Er driftete in einen unruhigen Schlaf aus dem er immer wieder wach wurde und sich ein und dieselbe Frage stellte.
Er wollte es, mit allem was dazu nötig war, in Ordnung bringen und Nancy einfach alles erzählen. Auch wenn sie ihn für immer hassen würde, aber sie musste die ganze Wahrheit erfahren. Zugleich war ihm bewusst zu was Ashley allem im Stande war und wenn sie ihre Drohungen wahr machte, würde er von hier verschwinden müssen und seine Bar, das Einzige das ihm noch geblieben war, ebenfalls hinter sich lassen.
Alle würden über ihn sprechen und er wäre nicht mehr der nette Kerl, der eine Bar betrieb, der in der Stadt bekannt war und für jedes Problem eine Lösung parat hatte.
Lieber wäre er es, der Nancy alles erzählte, aber wenn er Catharina nicht finden konnte, würde sie ihm zuvor kommen.

Kapitel 25

Montagnachmittag Nancy und Lea

Vierzehn Uhr, Zeit für Feierabend. In den letzten beiden Stunden lief es schon richtig gut, nur konnte sich Nancy auch kleinere Bestellungen nicht merken und musste alles aufschreiben, was wiederum zu lange dauerte. Lucy konnte an vier Tischen die Bestellung aufnehmen ohne es aufzuschreiben und wusste am Ende noch auswendig, wer was haben wollte.

Lea beschloss Nancy von der Arbeit abzuholen, beendete zufrieden das dritte Kapitel für heute, in das sie all ihre Gefühle der letzten Tage eingearbeitet hatte, und machte sich auf den Weg. Vielleicht nahm ihr Buch nun doch noch eine andere Wendung als sie zunächst glaubte. Meistens wusste sie in der Mitte des Buches wie sie das Ende gestalten möchte aber vielleicht hatte sie in den letzten Tagen einen neuen Anstoß bekommen.
Lea betrat das Café als Lucy und Nancy noch hinter der Theke den Dienstplan für den restlichen Monat durchgingen.
»Kann ich von meiner Hübschen bitte einen Kaffee bekommen?«, fragte Lea und grinste. Nancy drehte sich mit einem Satz um und was sie in diesem Augenblick fühlte, wollte sie jeden Tag spüren. Für den Rest ihres Lebens. Ihr Herz machte einen Sprung in

ihrer Brust und ein warmes Gefühl durchdrang ihren gesamten Körper. Sie spürte selbst, dass ihre Augen funkelten und Lea liebte es, dieses Strahlen in ihnen zu sehen.

»Aber sicher doch«, entgegnete Nancy.

Als sie ihr den Kaffee brachte, legte sie den Zettel mit der Adresse für das heutige Treffen dazu, um Lea damit zu sagen, dass sie hingehen wollte.

Lea quittierte es nur mit einem Nicken. Sie wusste, dass sie es tun mussten um vielleicht endlich ihren Frieden zu erlangen und sich um ihre frische Liebe kümmern zu können. Eine gewisse Eifersucht kam in Lea trotzdem auf. Wie würde es sein, wenn die beiden sich gegenüber stünden, könnten alte Gefühle wieder aufflammen? Würde Catharina eine solch gute Erklärung abliefern, dass Nancy schwach wurde? Immerhin waren die beiden zwölf Jahre ein Paar. Niemand wirft so viele Jahre einfach weg, ohne dies zu hinterfragen.

Nancy beobachtete, dass Lea grübelte. Sie erkannte es deutlich an ihrem Gesichtsausdruck und ihrem leeren Blick.

»Möchtest du lieber nicht hingehen?« fragte Nancy.

»Doch, lass uns das so machen, es wird die einzige Lösung sein.«

»Wieso siehst du dann so aus, als würdest du darüber nachdenken?«

»Weil es komisch ist, dass du auf deine Ex triffst«, sagte Lea und schaute traurig drein.

»Mach dir darüber keine Sorgen. Ich habe Catharina hinter mir gelassen. Nach allem was sie mir angetan hat, habe ich gar kein Bedürfnis sie wiederzusehen aber ich will, ich muss die Wahrheit wissen und wie alles miteinander zusammenhängt, auch für uns.«
»Das verstehe ich, darum komme ich auch mit«, sagte Nancy und gab Lea einen Kuss.
»Weißt du was komisch ist, ich erreiche Jeff nicht, normalerweise ruft er sofort zurück, vielleicht sollte ich noch schnell in der Bar vorbei schauen?« sagte Nancy und schaute Lea fragend an.
»Mach das, ich bleibe so lange hier und warte auf dich.«
Nancy lief aus dem Café und wurde von einem bitterkalten Wind begrüßt der ihr die Tränen in die Augen trieb und in kürzester Zeit schmerzte ihr Gesicht von der Kälte. Sie vergrub es in ihrem Mantel und senkte ihren Blick zu Boden um sich so gut wie möglich zu schützen. Sie hatte kein gutes Gefühl bei der Sache, was dazu führte, dass ihr Gang immer schneller wurde.
Je mehr sie darüber nachdachte umso mehr Sorgen machte sie sich, weil es so gar nicht zu Jeff passte. Er hatte sich zwar stark verändert nach dem Ableben seiner Frau, aber wer hätte das nicht getan. Es grenzte eher an ein Wunder, dass er damit fertig wurde. Wenn Nancy darüber nachdachte, dass sie auf diese Weise Catharina verloren hätte oder jetzt Lea, dann zerriss es sie schon bei dem bloßen Gedanken daran.

Keinen Tag würde sie das ertragen, auch wenn sie keine Schuld traf. Dieser Schicksalsschlag war eigentlich nicht zu überleben, nicht für sie, aber Jeff war stark, er stürzte sich danach in die Arbeit und hatte seitdem keinen freien Tag mehr. Die Arbeit schien ihn am Leben zu halten wie eine Beatmungsmaschine. So ist es wenn die Hinterbliebenen nicht los lassen konnten oder wollten, denn die Hoffnung stirbt zuletzt. Hoffnung hält einen Menschen in einer besonders schweren Situation am Leben, sie lässt einen das Schlimmste aushalten, von Tag zu Tag. Die Hoffnung auf ein Wunder kann einen Menschen entweder völlig zerstören oder ihm recht geben. Auf beide Weisen zeichnet es ihn für den Rest des Lebens. Am Ende leben wir alle mit Narben auf der Seele, die einen mit mehr, die anderen mit weniger.

Dann begegnen wir Menschen die es schaffen so eine Narbe weniger vernarbt sein zu lassen und zugleich sind es die selben Menschen, die dazu in der Lage sind uns neue, schlimmere Narben hinzuzufügen. Am letzten Tag stirbt ein jeder von uns ein Stück weit an diesen Narben.

Solche Gedankengänge hatte Nancy sehr oft.

Als emphatischer Mensch der stets hinterfragte, philosophierte sie gerne über das Leben und das tiefste Innere eines Menschen. Bücher könnte sie darüber schreiben, so viele Gedanken kamen ihr dazu. Nur sobald sie schreiben wollte, konnte sie ihre Gedanken nicht zu einem Buch formen.

Nancy kam durchgefroren bis auf die Knochen in der Jackson Bar an und was sie vorfand, bestätige nur ihr ungutes Gefühl.
Wie es schien, war nur Paul anwesend, der direkt auf sie zukam.
»Na endlich bist du da, ich dachte schon, du hättest meine Nachricht nicht bekommen.«
Paul wirkte aufgebracht.
»Was meinst du, was für eine Nachricht?« fragte Nancy, sichtlich ahnungslos.
Auch Paul schaute sie nun mit einem großen Fragezeichen im Gesicht an.
»Ich habe dir doch wegen Jeff geschrieben und dass du kommen sollst, bist du nicht deswegen hier?«
»Nein, ich weiß nichts von einer Nachricht. Ich habe eine neue Nummer. Ich bin hier, weil ich Jeff nicht erreiche und er ruft nicht zurück, ich wollte nach ihm schauen. Wo ist er denn?«
Paul seufzte und massierte sich die Stirn wie jemand der an einem Problem grübelte und einfach auf keinen grünen Zweig kam.
»Ich weiß nicht wo er steckt, er hat sich heute noch nicht blicken lassen und gestern ist er einfach aus der Bar gestürmt. Er ist echt schräg drauf, ich kenne ihn so nicht und da er mit mir nicht sprechen wollte, dachte ich, dass du ihm vielleicht was entlocken kannst?«
»Was meinst du mit schräg drauf?« fragte Nancy und runzelte die Stirn und ihre Sorge wuchs.

»Er haut während der Arbeit ab, ich habe ihn bitterlich weinen gesehen und er lässt nicht mit sich reden.«
»Okay pass auf, ich werde jetzt zu ihm gehen, vielleicht erwische ich ihn ja zuhause.«
Kaum ausgesprochen hatte Nancy auch schon die Bar verlassen.
Zu dem eisigen Wind hatte sich nun auch noch Regen dazu gesellt. Die Mischung machte es unmöglich aufzublicken, so sehr peitschte der Regen in Nancys Gesicht.
Jeff wohnte nur unweit von der Bar entfernt, aber jede Minute hier draußen erhöhte die Gefahr um ein Vielfaches, sich eine dicke Erkältung einzufangen.
Sie war schon öfter bei Jeff gewesen, besonders oft nachdem seine Frau starb, da sich alle Sorgen machten, dass er auf dumme Gedanken käme wenn er alleine wäre.
Durchnässt stand sie vor der Haustür und klingelte, wieder und wieder. Es rührte sich nichts aber Jeffs Pick up stand an der Straße, also musste er da sein. Jeff hasste es irgendwo hinzulaufen und nahm auch für die kürzesten Wege lieber sein Auto, auch wenn das bedeutete, dass er mit seinem Pick up meist kaum einen Parkplatz fand und am Ende länger brauchte, als mit der S-Bahn.
Sie schaute am Haus nach oben ob sich an Jeffs Fenstern was bewegte oder Licht brannte. Seit es so regnete, war es wieder dunkel geworden.

Aber es brannte kein Licht und die Gardinen waren zugezogen.
Sie kramte mit ihren, vor Kälte schmerzenden Fingern, nach ihrem Smartphone. Was sich als Herausforderung herausstellte das Teil mit den kalten, nassen Händen zu bedienen. Sie wählte noch einmal Jeffs Nummer….
Nichts, es war ausgeschaltet. Nancy wusste nicht weiter. Sie konnte höchstens noch hier warten und es immer wieder versuchen aber das würde sie bei dem Wetter sowieso nicht lange aushalten. Sie beschloss zurück zur Bar zu laufen um nochmals mit Paul zu sprechen. Sie brachte es nicht fertig einfach nur abzuwarten ob Jeff sich doch noch meldete und vielleicht hatte Paul noch eine Idee.

Kapitel 26

Montagnachmittag, Jeff

Jeff hörte etwas, konnte aber nicht zuordnen was es war. Er wusste nicht einmal, ob es ein Traum oder die Realität war. Nach dem gescheiterten Versuch ohne Hilfsmittel einzuschlafen, gönnte er sich doch etwas von seinen Schlafmitteln. Seit zwei Jahren nahm er sie, sie sorgten dafür, dass er überhaupt noch zur Ruhe fand und in der Lage war, die langen Arbeitstage zu überstehen. Nur hielt er sich nicht immer an die Dosierung, die ihm sein Arzt angeraten hatte, er nahm auch gerne mal die doppelte Dosis wenn ihn seine Gedanken und sein Gewissen mal wieder zu sehr quälten.

Er war gar nicht mehr in der Lage ohne einzuschlafen. Er wusste um die Gefahr dieser Schlafmittel und doch war ihm das lieber, als den Schmerz auch nachts zu spüren.

Die Aufwachphase war dementsprechend mühsamer und länger und er brauchte immer seine Zeit bis er klar denken konnte und wieder im hier und jetzt ankam.

Darum realisierte er erst zu spät, dass es die Klingel war, die ihn aus dem Schlaf riss.

Er torkelte zur Tür und nahm den Hörer der Gegensprechanlage in die Hand.

»Hallo? … Hallooo?« …. Nur ein Rauschen vom Wind und vorbeifahrende Autos war zu hören.
Jeff wusste nicht wie lange das Geräusch her war, das er meinte gehört zu haben und ob es tatsächlich die Klingel war.
Er fühlte sich seiner Sinne beraubt und manchmal wusste er nicht, ob es sich lohnte weiter zu machen oder ob sein Leben für immer einer Katastrophe glich. Immer wieder verfiel er in Selbstzweifel und unzählige Male stellte er sich schon die Frage: wieso bin ich auf dieser Welt?
Wer stellte sich diese Frage nicht wenigstens einmal im Laufe seiner Lebens, wahrscheinlich die meisten. Bestimmt auch die Reichen und Schönen, die oft alles hatten, nur keinen Menschen an ihrer Seite dem sie blind vertrauen konnten und der auch dann noch an ihrer Seite war, wenn es außerordentlich schwierig wurde.
Wenn er einen Wunsch frei hätte, würde er die Zeit zurück drehen und alles anders machen. Mit dem Wissen von heute wäre er vielleicht der perfekte Mensch von morgen. Dann würde seine Frau neben ihm liegen, sein Baby könnte mittlerweile laufen und würde ihre kleine Familie mit unendlicher Liebe erfüllen und ihr Glück perfekt machen.
Jeff wusste so gut wie jeder, mit manchen Fehltritten in unserem Leben, müssten wir für immer leben und den Schmerz den wir uns damit selbst zugefügt haben, für immer ertragen.

In jeder Minute des Tages, jeden einzelnen Tages, zerbricht ein Herz oder eine Seele, wird irreparabel beschädigt. Das Broken Heart Syndrom, die wenigsten kennen es und doch ist es der Beweis dafür, dass man an einem gebrochenen Herzen sterben kann.

Betroffene erleiden ein akutes Herzversagen, ausgelöst durch starken emotionalen Stress. Bestimmte Areale des Herzmuskels bleiben bewegungslos. Die akute Phase dauert nur ein bis drei Tage, diese gilt es zu überleben.

Jeff hatte nach dem Tod seiner Frau viele Tage im Bett verbracht und gegoogelt was es damit auf sich hatte und er spürte genau das, nur dass er am Ende überlebte und das hatte er Paul und Nancy zu verdanken. Ohne die beiden wäre er ein weiteres Opfer dieses Syndroms, das auch heute bestimmt noch von vielen belächelt wurde.

Jeff trank zwei Espresso, gemischt mit den Schlaftabletten hatte er dann manchmal das Gefühl, dass sein Herz Purzelbäume schlug, es pochte wie verrückt in seiner Brust und er bekam leichte Schweißausbrüche.

Er wusste nicht wann er diese Entscheidung endgültig getroffen hatte aber er musste Nancy finden und mit ihr reden, danach konnte er sich Gedanken machen wie es mit ihm weiter ginge. Dieses eine Mal möchte er alles richtig machen, selbst wenn ihn die Konsequenzen den Rest seines traurigen Lebens kosten würden.

Kapitel 27

Nancy

Nancy lief gegen den Wind. Sorgen konnten einen treiben und ungeahnte Kräfte verleihen, sie konnten uns aber auch die wirrsten Fantasien zuspielen.
»Paul, bist du hier?« rief Nancy in die leere Bar hinein.
»Paul, wo bist du?« … Die Bar war nicht riesig. Hinter der Theke befanden sich nur noch zwei Kühlräume, Jeffs Büro und eine kleine Küche. Nancy lief durch die Schwingtür, die sie immer an den wilden Westen erinnerte. Sie kannte sie aus den unzähligen Westernfilmen die sie immer mit Catharina anschauen musste obwohl sie solche Filme gar nicht mochte.
Jeffs Bürotür stand offen. Es war ihr schon immer ein Rätsel gewesen wie Jeff darin arbeiten konnte, es war muffig und dunkel und es herrschte Chaos auf seinem Schreibtisch und in den Aktenschränken.
»Hey Paul« … Paul erschreckte sich so sehr, dass er mit dem Kopf, mit einem lauten Knall, gegen die Schreibtischplatte schlug.
«Au … verdammt«, schrie Paul unter dem Tisch hervor und presste seine Hände auf die Stelle an seinem Kopf, an der er wohl gleich eine dicke Beule haben würde.
»Ich bin's nur, ich wollte dich nicht erschrecken, was tust du da?« wollte Nancy wissen.

»Denk jetzt bitte nichts Falsches. Es ist nur so, da Jeff so komisch drauf ist und ich nicht mehr weiter weiß, wollte ich schauen, ob ich irgendeinen Hinweis finde warum er so ist. Irgendetwas, das darauf hindeutet, dass er vielleicht pleite ist oder sogar krank … ich brauche eine Erklärung«, sagte Paul als müsste er sich rechtfertigen. Seine Absichten waren gut und doch fühlte er sich nicht ganz wohl bei der Sache. Doch wenn er nicht dabei zuschauen wollte, wie sein Freund weiter litt, musste er etwas unternehmen.

»Paul, ich verstehe dich. Ich war bei Jeff, aber er scheint nicht zuhause zu sein aber sein Pick up steht vor dem Haus. Ich habe mehrmals geklingelt und versucht ihn anzurufen aber sein Telefon ist aus. Ich bin wieder hierher gekommen um mit dir darüber zu sprechen. Hast du eine Idee, was wir noch tun können oder wo er sich herumtreiben könnte? Hast du was nützliches gefunden?« Paul sah Nancys Sorge in ihrem Gesicht. Sie hatte diesen verzweifelten Ausdruck in den Augen den er zuletzt nach der Trennung in ihnen sah.

»Nein, nichts, nur sein zerschmettertes Telefon lag auf dem Boden. Es muss noch was vorgefallen sein«, sagte Paul während er sich aufrichtete und zum nächsten Aktenschrank ging.

»Verdammt, es muss doch einen Hinweis geben für sein abstruses Verhalten.« Nancy schaute sich in Jeffs Büro um. Sie blickte auf die Uhr, es war schon siebzehn Uhr, sie hatte nur noch eine Stunde Zeit um zurück ins

Schreiberling Café zu gehen, Lea dort abzuholen und es bis zur Zwölften Straße zu schaffen. Sie war hin und her gerissen, um es zu schaffen, musste sie endlich los aber was war dann mit Jeff ....

Nancys Telefon klingelte, hastig wühlte sie in ihrer Manteltasche danach, in der Hoffnung, dass es Jeff war.

Nicht Jeff, es war Lea. Sie hatte ihr noch gar nicht Bescheid gegeben. Mist.

»Hey Lea, entschuldige bitte, ich bin in der Bar, ich mache mich gleich auf den Weg«, kam Nancy Lea zuvor.

»Ist gut, dachte schon, du traust dich doch nicht und willst mich versetzten.«

»Keine Sorge, bin gleich bei dir«, sagte Nancy und legte auf.

Paul beobachtete Nancy beim telefonieren und sein Blick verriet ihr, dass er auf eine Erklärung wartete.

»Paul, ich muss los, ich muss etwas Wichtiges erledigen und danach komme ich wieder. Wir finden Jeff.«

»Aber du kannst doch jetzt nicht gehen, Nancy«, rief Paul verärgert.

»Es tut mir leid, ich muss, aber ich komme wieder«, mit diesen Worte stürmte Nancy aus der Bar und ging eilig, noch immer getrieben von dem Adrenalin in ihrem Körper, ins Café.

Sie durfte keine Zeit mehr verlieren, vielleicht war das ihre einzige Chance die Wahrheit zu erfahren.

Abgehetzt kam sie im Café an, sie ging nicht rein sondern klopfte an die Scheibe hinter der Lea saß und winkte sie zu sich.
Lea schnappte sich ihre Jacke, legte Geld auf den Tisch und ging hinaus.
»Da bist du ja endlich, wir sind spät dran«, sagte Lea, sie wirkte hektisch und aufgeregt.
»Ich konnte Jeff nicht finden. Mir ist zu spät aufgefallen, dass die Zeit so gerannt ist. Komm lass uns gehen, wir schaffen es noch«, sagte Nancy und nahm Leas Hand. Gemeinsam verfielen sie in ein joggen, die kalte Luft machte ihren Atem sichtbar und trotz der furchtbaren Kälte, wurde es unter der Winterkleidung plötzlich unangenehm warm. Sie liefen ohne sich loszulassen, sprangen vor anderen Passanten auf die Seite, hüpften über weggeworfenen Müll und versuchten den Regenschirmen auszuweichen, die sich in Unmengen tummelten.
Zehnte Straße, es ist nicht mehr weit. Die Elfte Straße war eine ewig wirkende Gerade gewesen, darum hatte man das Gefühl, sie würde nie enden. 17:45 Uhr, noch fünfzehn Minuten trennten Nancy von ihrer Ex und von der Erklärung die für sie der Neubeginn sein sollte.

Kapitel 28

Jeff

Jeff kam in die Bar gerannt, als hätte er einen Sprint hingelegt oder würde von einem Mörder gejagt werden.
Paul schaute ihn an und wusste nicht, ob er erleichtert sein sollte, weil Jeff wieder aufgetaucht war oder ob er sich noch mehr Sorgen machen sollte, denn Jeff sah wirklich miserabel aus.
»Hast du Nancy gesehen?« fragte Jeff ohne weitere Umschweife.
»Sie war bei dir dann war sie wieder hier aber sie musste los. Sie ist vor ca. dreißig Minuten gegangen. Wo warst du Mann? Wir haben dich gesucht«, sagte Paul so laut, dass sich die ersten Gäste die zum Abendgeschäft da waren, zu ihnen herum drehten und sie stumm beobachteten.
»Scheiße«, stieß Jeff heraus. »Ich habe keine Zeit für Erklärungen, ich muss Nancy finden. Was weißt du?« Sagte Jeff, völlig außer Atem.
Paul packte Jeffs Arm und zog ihn hinter die Tür, die zu den Kühlräumen führte, damit die Gäste nicht alles mitbekamen.
»Ich weiß überhaupt gar nichts Jeff aber genau das sollte ich, meinst du nicht?« schrie Paul nun Jeff an. Völlig außer sich, er war wütend und zugleich erleichtert.

Jeff verstand die Wut von Paul, doch konnte er sich jetzt nicht darum kümmern, er hatte keine Zeit Paul alles haarklein zu erklären.
»Paul, ich habe dafür jetzt wirklich keine Zeit, ich muss unbedingt Nancy finden«, versuchte Jeff es jetzt in einem versöhnlicherem Ton. Er würde auch ihm alles erzählen, nur nicht jetzt.
»Ich weiß es wirklich nicht aber sie kommt später wieder hierher. Also ist es am besten, du wartest einfach« ... Paul drückte sich an Jeff vorbei und ging zurück.
Jeff blieb wie festgewachsen stehen und überlegte ob er warten konnte.
Am Ende blieb ihm nichts anderes übrig, wenn er ehrlich zu sich selbst war, denn er wusste nicht wo Nancy steckte und sie planlos zu suchen machte wenig Sinn. So beschloss er, Paul in der Bar zu helfen und sich von der Arbeit ablenken zu lassen, so wie immer, das war sein Heilmittel der letzten Jahre gewesen.
Jeff bemerkte einen Gast den er zuvor nur einmal hier gesehen hatte. Dieser merkwürdige Mann. Er fühlte sich von ihm beobachtet und empfand es als unangenehm. Bei seinen anderen Gästen war er es gewöhnt, das diese ihn auch mal beobachteten wobei sie wahrscheinlich meistens nur in Gedanken versunken waren und es selbst gar nicht bemerkten aber dieser Typ machte das ganz bewusst und schien schon fast provozieren zu wollen. Mag sein, dass Jeffs Nerven verrückt spielten und er sich nur etwas

einbildete. Jeff ging zu ihm herüber um die Bestellung aufzunehmen.
»Was darf's denn sein?« Jeff versuchte es so normal wie möglich klingen zu lassen. Schaute aber von seinem Notizblock nicht auf sondern schielte den unheimlichen Kerl nur von unten an.
»Den besten Gin den Sie haben Jeffrey, danke.«
Komischer Vogel, dachte Jeff und wieso nannte er ihn beim Namen. Klar, manche Gäste taten das, sie kannten Jeff oft schon seit der Eröffnung der Bar und dann war das auch völlig in Ordnung. Jeff wusste von manch einem Gast mehr, als es der eigene Partner wahrscheinlich tat, der zuhause saß und nicht wusste, dass er in Wahrheit ahnungslos war. Manchmal entwickelte sich fast so etwas wie eine Freundschaft oder eher eine Bekanntschaft, mit der man zwar nicht sein Leben teilte aber durchaus bei einem Bier seine Sorgen.
Dieser Kerl gehörte definitiv nicht dazu. Jeff wurde das Gefühl nicht los, ihn schonmal gesehen zu haben, nur konnte er ihn nicht richtig zuordnen.
Wie immer um diese Uhrzeit wenn der Feierabend für die meisten erreicht war, füllte sich die Bar. Jeff holte aus dem Vorratsraum den teuersten Gin den er hatte. Normal war der nicht besonders gefragt, die meisten kamen fast täglich her und konnten es sich bestimmt nicht leisten, jedes Mal so viel Geld für einen Gin liegen zu lassen.

»Bitte sehr, der Beste den wir haben«, sagte Jeff als er das Glas servierte und den glatzköpfigen Mann mit der rahmenlosen Brille musterte. Er hatte eine Statur wie man es sonst von Türstehern gewohnt war, sehr massig und um die vierzig Jahre alt. Die Sorte Typ, die nach außen knallhart wirkten und meistens ein butterweiches Herz hatten. Da man ihnen das jedoch nicht ansah, wechselten manche bestimmt die Straßenseite wenn sie ihn sahen.
Jeff kannte solche Typen nur zu gut, weil er selbst in jungen Jahren als Türsteher gearbeitet hatte und dort hatte er genau solche Männer zur Genüge kennengelernt.
Der Kerl nickte. »Danke, Jeff.«
Da, schon wieder und er tat es auf eine ekelhafte Art und Weise.
Jeff lies es umkommentiert und ging zu den anderen Gästen.

Kapitel 29

Montagabend, Nancy und Lea

Nur noch wenige Meter bis zur Zwölften Straße, ab da waren es nur noch ein paar Schritte bis zum Rosmarin Restaurant.

Nancy blickte auf ihr Telefon 17:59 Uhr. Sie setzte zu einem Sprint an und zog Lea hinter sich her, die so überrascht davon war, dass sie beinahe der Länge nach hingefallen wäre, sich aber noch an Nancys Arm auffangen konnte.

»Hey, wurdest du nun von allen guten Geistern verlassen«, schrie Lea, die Mühe hatte Schritt zu halten.

»Wir haben es gleich geschafft«, die Worte verschluckte der Wind der ihnen durch den Sprint noch stärker ins Gesicht peitschte.

Überhaupt konnte Lea ihre Gliedmaßen kaum noch spüren, sie waren heiß und eiskalt zugleich.

Die Kirchenglocken schlugen achtzehn Uhr.

Kurz nach dem diese verstummt waren, machten Lea und Nancy eine Vollbremsung vor dem Restaurant. Völlig außer Atem, stützen sie sich auf ihren Knien ab und rangen nach Luft, die in ihren Lungen brannte wie Feuer.

Sie konnten gar nicht so viel Sauerstoff aufnehmen wie sie wollten. Nancy blickte sich um und auch Lea tat es ihr gleich. Ein Blick auf Leas Armbanduhr, 18:02 Uhr,

Catharina konnte unmöglich schon weg sein, wahrscheinlich war sie noch gar nicht da. Nancy hielt ihr Telefon in der Hand als würde sie davon ausgehen, dass Catharina sich jeden Augenblick melden würde.
Nancy und Lea standen Rücken an Rücken damit sie alle Seiten der Straße im Auge behalten konnten. Fehlte nur noch eine Pistole und sie würden aussehen wie in einem Krimifilm in denen sie die Hauptrollen spielten.
»Meinst du, sie kommt noch?« fragte Lea ohne sich umzudrehen.
»Ich weiß es nicht, sie ist zwar meine Ex aber wenn ich etwas gelernt habe, dann dass man einen Menschen niemals hundertprozentig kennt und dass wahre Worte niemals schön sind und die Schönen niemals wahr.« Es lag ein Hauch Wehmut und Verletztheit in diesem Satz, dachte Lea sich. Lies es aber so stehen ohne eine Erläuterung zu erwarten und sie verkniff sich jeglichen Kommentar der ihr dabei in den Sinn kam.
18:07 Nancy checkte nochmals ihr Telefon als sie dabei war aufzugeben und es in ihren Mantel zu stecken klingelte es. Eine Nachricht kam. Eine Nachricht von Ashley.

Warte nicht auf sie, sie wird nicht kommen

Entsetzt starrte Nancy auf ihr Telefon.
»Zum Teufel nochmal«, schrie sie das Telefon an.

»Was ist los?« fragte Lea die immer noch Rücken an Rücken mit Nancy stand.
Nancy drehte sich um und zeige Lea die Nachricht.
Lea versuchte dessen Inhalt zu begreifen und überhaupt irgendetwas zu verstehen.
»Was ist mit dieser Ashley? Auf mich wirkt das, als würde sie dich oder die beiden zusammen sogar, an der Nase herumführen«, sagte Lea nun hörbar verärgert und zugleich mit einem großen Fragezeichen im Gesicht.
»Wenn du mich fragst, ist sie verrückt geworden«, sagte Nancy nun resigniert. Denn sie hatte keine Kraft mehr, sie hatte keine Lust mehr und am wenigsten hatte sie noch Nerven für solche Spielchen übrig.
»Komm lass uns gehen, es ist sinnlos zu warten«, sagte Nancy und nahm Lea bei der Hand.
Sie liebte es mit ihr Hand in Hand zu schlendern und zu wissen, dass obwohl alle durchdrehten und nichts mehr so ist, wie es war, jemand an ihrer Seite war, der sich richtig anfühlte und trotz der kurzen Zeit vertraute sie Lea fast schon blind und was gab es wichtigeres im Leben, als diesen einen Menschen der ein Seelenverwandter zu sein schien und der einen durch alles hindurch begleitete, mögen die Zeiten noch so ausweglos sein. Zu zweit ist man immer etwas stärker als der Rest, wenn man es denn sein möchte und zulässt. Darauf vertraute Nancy.
Sie wollte den Glauben an das Gute im Leben und den Menschen nicht vollkommen verlieren auch wenn in

den letzten Monaten nicht vieles geschah, das ihr Grund zur Hoffnung gab. Ihr Vertrauen in die Menschen wurde bitter erschüttert, ja fast schon zerquetscht von der inneren Hässlichkeit der Menschen die sich Freunde und Lebenspartnerin schimpften. Nur Lea lies ein bisschen davon wieder aufleben und so sehr Nancy auch Angst hatte, denn sie wusste, eine erneute Enttäuschung würde sie nur schwer verkraften können, wollte sie ihr nicht unrechttun.

»Kommst du mit, ich muss nochmal in die Bar zu Jeff?«

»Klar, ich könnte sowieso einen Drink vertragen nach dem Tag«, sagte Lea lachend.

»Oh ja, ich auch, nicht nur einen.«

Von der Zwölften bis zur Siebten Straße war es zu Fuß ein gutes Stück zu gehen, es war schon stockfinster aber wenigstens hatte der Regen aufgehört. Der erste Schnee lag in der Luft, da war Nancy sich sicher. Sie bildete sich ein, Schnee riechen zu können. Der Winter war zwar nicht ihre liebste Jahreszeit aber hin und wieder erfreute sie sich auch daran wenn alles von der weißen Pracht bedeckt war und eine wohltuende Ruhe herrschte.

Sie wollte sich mit allem abfinden. Dass Catharina nicht aufgetaucht war, löste in ihr zwar eine erneute Enttäuschung aus aber vielleicht musste man manchmal damit leben, auf das ein oder andere niemals eine Antwort zu bekommen.

Kapitel 30

Montagabend in der Jackson Bar

Nach einer guten Dreiviertelstunde waren sie in der Jackson Bar angekommen. Sie waren durchgefroren bis auf die Knochen und Nancy vergaß, vor lauter Freude auf die Wärme in der Bar, weswegen sie eigentlich hier war.

Nancy entdeckte Jeff an einem Tisch stehend und plaudernd mit einem Gast, der sieben Tage die Woche in die Bar kam. Nancy kannte ihn mittlerweile genauso und an so manch schlechtem Tag haben sie gemeinsam ein Bier getrunken und darüber gesprochen, wie seltsam die Welt geworden war und mit ihr die Menschen.

Jeff drehte sich um als Nancy und Lea die Bar betraten und seine Miene verfinsterte sich. Nancy wusste seinen Gesichtsausdruck nicht zu lesen aber er verhieß nichts gutes.

Da die beiden ihn nicht stören wollten gingen sie an Jeff vorbei und bekamen die letzten zwei Plätze direkt an der Bar.

»Hi Paul«, begrüßte in Nancy.

»Hi ihr zwei, schön, dass ihr da seid!« Paul beugte sich zu Nancy herüber und flüsterte ihr zu: »Jeff hat vorhin nach dir gesucht. Ich habe ihm gesagt, dass du nochmal vorbei kommst.«

Nancy bestätige mit einem Nicken, sagte aber nichts dazu. Ihre Hände schmerzten nun in der Wärme von der stundenlangen Kälte. Gefühlt waren es mindestens fünfundzwanzig Grad Temperaturunterschied. Sie spürte wie sie nervös wurde. Was auch immer Jeff zu sagen hatte, sie hatte ein schlechtes Gefühl bei der Sache und ihr Gefühl hatte sich bisher fast immer bestätigt. Selten hatten ihre Gefühle ihr einen Streich gespielt und sich als unbegründet oder überzogen entpuppt.

Plötzlich stand Jeff dicht hinter ihr, sie fuhr zusammen und hielt die Luft an und er sagte leise: »Komm in zwei Minuten in mein Büro.« Jeff verschwand hinter der Tür.

Sie hatte sich noch nie unwohl in Jeffs Nähe gefühlt aber heute war es zum ersten Mal so.

»Ich werde hier auf dich warten«, sagte Lea und schenkte ihr einen aufmunternden Blick.

Nancy wartete die geforderten zwei Minuten ab und folgte Jeff in sein Büro.

Jeff saß an seinem Schreibtisch, er wirkte niedergeschlagen und übermüdet.

»Jeff, was ist los?« frage Nancy mit belegter Stimme.

»Komm rein und setz dich bitte.« Jeff hob seinen Blick nicht. Er schaute zu Boden, wie jemand der sich zutiefst schämte und seine Tonlage verriet, dass er etwas zu sagen hatte, das im schwerfiel und das alles verändern würde.

»Hör zu Nancy, was ich dir zu sagen habe, wird alles verwirrend für dich sein aber ich kann mit diesem Wissen nicht weiter leben und so tun als wäre alles in Ordnung.«

Tausend Gedanken schossen Nancy durch den Kopf.

Es klopfte an der Tür.

»Nicht jetzt«, rief Jeff. Paul steckte trotzdem seinen Kopf durch den Türspalt.

»Sorry Chef, aber der glatzköpfige Kerl da draußen verlangt lautstark nach dir.«

»Was will er denn?« fragte Jeff sichtlich entnervt.

»Das weiß ich nicht, er wollte es mir nicht sagen.«

Jeff erhob sich wie ein Mann der die neunzig überschritten hatte. Man sah ihm an, dass das, was es auch immer ist, ihm seine letzte Kraft raubte.

Jeff stapfte zu dem Türstehertyp herüber und ihm war wahrlich nicht nach aufgesetzter Freundlichkeit. Dementsprechend forsch sprach er ihn an: »Was wollen Sie denn?«

Ein seltsames Grinsen umspielte sein Gesicht, seine Augen waren fast schwarz.

»Nehmen Sie das, lesen Sie es sofort und ich möchte Ihnen ans Herz legen, es zu befolgen.«

Der Typ schob ihm einen Zettel über den Tisch und mit seinem letzten Wort verschwand er hastig.

Jetzt wusste Jeff wieder, woher er den Kerl kannte.

Er hatte damals auch den Zettel für Nancy hier hinterlassen.

Na logisch, man musste nur Eins und Eins zusammenzählen.
Der Irre gehörte in irgendeiner Form zu Ashley.
Jeff öffnete den gefalteten Zettel, auf dem in großen Druckbuchstaben stand:

HALTE DICH AN UNSERE ABMACHUNG UND NIEMANDEM WIRD ETWAS GESCHEHEN!

Ashley lies andere für sich die Drecksarbeit machen. Das passte zu ihr.
Jeff hatte keine Angst, nicht mehr, aber umso mehr Wut. Am liebsten wäre er diesem Kerl hinterher gerannt und hätte ihn so richtig vermöbelt aber man konnte Gewalt nicht mit Gewalt lösen.
Jeff war schon immer ein Gegner von Gewalt jeglicher Art, obwohl er in genau dieser Sekunde das Gefühl hatte, dass für so einen schmierigen Typen, Gewalt die einzig richtige Sprache wäre.
Jeff nahm den Zettel mit und steckte ihn in die Hosentasche. Eigentlich war es sogar gut. Wenn Nancy ihm nicht glauben würde, was denkbar wäre bei so einer absurden Geschichte, hätte er zumindest einen kleinen Beweis.

Nancy kam es wie eine Ewigkeit vor, in der Jeff nicht da war. Sie wollte nicht mehr warten und jede weitere Minute machte sie nur noch unruhiger. Sie schaute von Wand zu Wand. Eine kahler als die andere.

Lediglich ein einziges Bild stand bei Jeff auf dem Tisch und das war von seiner verstorbenen Frau und daneben ein Ultraschallbild.
Warum tat er sich das an? Es jeden Tag anzuschauen, musste doch den Schmerz immer wieder aufs Neue herauf beschwören.
Sie hörte wie die Tür hinter der Bar geöffnet wurde, sie quietschte schon seit eh und je.

Jeff kam wieder herein, er sah irgendwie durcheinander aus.
»Alles ok da draußen?« fragte Nancy.
»Ja, jetzt schon, halb so wild«, winkte Jeff ab und ließ sich mit einem schweren Seufzer in seinen Stuhl fallen.
»Nancy, du musst wissen, dass das was passiert ist, nie meine Absicht war. Ich wollte meinen eigenen Arsch retten, ich war ein Feigling.«
Nancy wartete auf den Punkt der Geschichte, sie wollte Jeff aber nicht drängen.
Sie wusste selbst wie schwer es war über Fehler zu sprechen.
Wir begehen sie alle, jeden Tag.
»Egal was es ist, sag es mir, Jeff.«
»Also … all das mit Catharina und Ashley war nicht so wie es für dich scheint ….«
Alleine dieser Satz lies Nancys Herz doppelt so schnell schlagen.
»Ich habe mich da hineinziehen lassen um meinen Ruf in der Stadt nicht zu schädigen …«

Stille herrschte zwischen ihnen.
»Bitte Jeff, sag es endlich«, Nancy sagte es verständnisvoll aber sie konnte diese Anspannung keine Minute länger ertragen.
»Tut mir leid, es fällt mir wirklich schwer dir all das zu erzählen aber es ist so, dass Ashley an allem Schuld ist. Sie hat alle manipuliert und mich sogar erpresst. Catharina hat dich nicht wegen einer anderen Frau verlassen oder weil sie dich nicht liebte. Ashley hat ihr glaubhaft gemacht, dass du und Ashley schon lange hinter ihrem Rücken ein Paar seid und dass du mit Catharina nur noch aus Mitleid zusammen wärst. Dass hat Catharina so sehr verletzt, dass sie einfach abgehauen und untergetaucht ist. Wohin weiß ich allerdings auch nicht.«
Nancy hörte die Worte, doch sie konnte sie nicht richtig verstehen, es war zu viel, zu absurd, zu verrückt, als das ihr Gehirn es schaffte zu begreifen, was Jeff ihr sagte.
Ihr wurde übel, als müsste sie sich jeden Moment übergeben. In ihrem Kopf drehte es sich, als würde sie die ganze Zeit in einem Kettenkarussell sitzen.
Jeff bemerkte wie verwirrend das für Nancy war und stand auf.
»Ich hole dir was zu trinken, das kannst du brauchen, sortier dich so lange«, sagte Jeff und lies Nancy alleine mit diesem Durcheinander im Kopf.
Einen Schnaps konnte sie jetzt aber wahrlich gut gebrauchen.

Sie hatte nichts bemerkt, nicht vor dem Verschwinden von Catharina und auch nicht in den Monaten danach als Ashley täglich bei ihr war.
Sie waren schon immer nur Freunde und auch wenn Catharina und Ashley sich nicht all zu sehr mochten so hatten sie sich gegenseitig immer respektiert. Zumindest machte es den Anschein. All das passte nicht zusammen. Es gab nie auch nur eine Anspielung von Ashley, geschweige denn, dass sie je einen Versuch unternommen hätte, Nancy näher zu kommen.
Wie wenig vertraute Catharina ihr, dass sie wirklich glaubte, dass Nancy sie jemals hintergangen hätte? Zwölf lange Jahre waren sie zusammen, sind durch die ein und andere Krise gemeinsam gegangen. Sind wieder stärker aus ihr heraus gekommen und liebten sich nur noch mehr. Niemals konnte ihrer Liebe etwas schaden.
Deswegen wollte Catharina mit ihr sprechen, sie musste dahinter gekommen sein und wollte alles aufklären.
Jeff kam mit einem Cocktail und einem Schnapsglas zurück.
»Hier, vielleicht beruhigt es die Nerven ein wenig für den Rest der Geschichte ….«
Nancy konnte sich kaum vorstellen, dass da noch mehr kommen sollte.
Sie war jetzt schon verwirrt und zugleich außer sich vor Wut. Sie verspürte das erste Mal so richtig Hass auf Ashley. Sie hatte ihr Leben zerstört.

Der Mensch, den sie für ihre beste Freundin gehalten hatte, all die Jahrzehnte, hat ihr am Ende alles genommen was ihr je wichtig gewesen war, um sich dann auch noch in den Vordergrund zu stellen. Was hatte sie denn gedacht, wenn ich erstmal einsam war und sie den Ritter in der Not spielte würde ich mich in sie verlieben und wir würden mit dieser Lüge bis ans Ende unserer Tage glücklich sein. Oder hatte alles einen anderen Grund? Einen noch absurderen?

Nancy dachte das alles nur, aber es sprudelte in ihrem Kopf als würde sie gerade vor Ashley stehen. So versuchte sie sich etwas Luft zu verschaffen. Es brodelte so sehr in ihr, wenn sie wüsste wohin Ashley abgehauen war, würde sie ihr einen Besuch abstatten den sie nicht mehr vergessen würde.

Sie hatte genug Wut in ihrem Bauch um keine Angst mehr zu verspüren. Genau das war das Gefährliche, in solchen emotionalen Ausnahmezuständen war auch der netteste Mensch zu mehr bereit, als es ihm je bewusst war.

Vermutlich konnte jedes Gehirn mal, wenn die Belastung nur groß genug war, fehlgeleitet werden.

Jeff saß wieder auf seinem Schreibtischstuhl, beobachtete Nancy, lies sie aber erstmal ihre Gedanken zu Ende bringen.

»Erzähl bitte weiter, Jeff«, forderte Nancy.

»Okay, wie du meinst.«

»Erzähl mir womit sie dich erpresst hat und warum vor allen Dingen?« Nancy schaute Jeff mit traurigen Augen an.
Man sah ihr an, wie verrückt das alles für sie klang und, dass es ihr schwer fiel all das zu glauben.
»Vielleicht ist das der schwerste Teil für mich, Nancy. Du weißt doch, wie meine Frau starb, nicht wahr?«
Nancy nickte.
»Nun, es ist am Ende betrachtet meine Schuld gewesen« … sagte Jeff mit gesenktem Blick.
»Was? Aber wie kommst du denn auf sowas? Ich meine, es war doch ein Busunglück oder etwa nicht?«
»Ja, das war es, aber meine Frau wäre nicht in diesem Bus gewesen, wenn ich damals nicht ein starkes Alkoholproblem gehabt hätte und im Zuge dessen, an diesem besagten Tag, meine Frau nicht zum Arzt fahren konnte und sie den Bus nehmen musste« … Stille herrschte.
Eine erdrückende Stille. Jeff hörte das Blut in seinen Ohren rauschen.
Da Nancy anscheinend keine Worte fand, setzte Jeff fort.
»Ich habe das Gespräch von Ashley und Catharina aus Versehen mitbekommen und sprach Ashley darauf an. Sie war die Einzige die davon wusste, woher das weiß ich nicht aber sie nahm es, um mich damit zu erpressen. Ich wollte dir alles erzählen aber sie drohte mir damit, alles öffentlich zu machen und meinen Ruf hier in der Stadt für immer zu ruinieren.

Ich hatte nur noch diese Bar und ich war so feige, dass ich in Kauf nahm, dass sie eure Beziehung zerstörte anstatt mein Leben.«

Nancy war starr. Es wummerte in ihrem Schädel.

Sie wusste nicht wie lange sie so da saß, sie hatte jegliches Zeitgefühl verloren.

»Bitte, sag doch etwas«, flehte Jeff, als er die Stille nicht mehr ertrug. Auch Stille konnte einen Menschen zerfressen. Manchmal konnten Stille und Ignoranz noch viel verletzender und schwerer zu ertragen sein, als ein hartes Wort. Ja, vielleicht war es sogar Folter für das Gegenüber, Höchststrafe.

»Ich kann nicht«, antwortete Nancy mit krächzender Stimme, stand auf und ging.

Nancy nahm Lea wortlos an die Hand und zog sie mit sich.

Lea war sichtlich überrascht und überrannt.

»Hey, was ist passiert?« Fragte Lea.

»Später, ich will hier nur raus.«

Nancy und Lea liefen ohne ein Wort zu sprechen nach Hause.

Lea war besorgt, doch wollte sie Nancy nicht drängen. Sie überlegte den ganzen Weg über was in Jeffs Büro wohl geschehen sein konnte, dass Nancy seither kein Wort sprach.

Am liebsten würde sie sie mit Fragen löchern, doch sie spürte, dass es im Moment nicht angebracht war und sogar kontraproduktiv sein könnte.

Als sie Zuhause ankamen, zeigte die Uhr über dem Kamin 22:12 Uhr.
»Was für ein verrückter Tag«, seufze Lea und lies sich auf dem Sofa nieder.
Nancy schwieg weiter, aber sie beschloss nicht alleine mit ihren Gedanken zu bleiben und setzte sich zu Lea und drückte sich fest an sie.
So saßen sie schweigend da bis sie einschliefen.

Kapitel 31

Dienstagmorgen, 26. Oktober 2021 Lea und Nancy

Nancy wurde schon früh wach. Es war ein Wunder, dass sie überhaupt einschlafen konnte aber der gestrige Tag hatte ihr ihre letzten Energiereserven ausgesaugt. Lea und Nancy verloren kein Wort über den Abend. Lea hoffte zwar die ganze Zeit, dass Nancy ihr doch noch erzählte, was in Jeffs Büro geschah aber Nancy war so sehr damit beschäftigt diese fürchterlichen Informationen zu verarbeiten, dass sie es nicht fertig brachte darüber zu reden, bevor sie es nicht selbst verstehen konnte.

Sie war sich nicht einmal sicher ob es sie traurig oder doch eher wütend machte. Sie könnte heulen und zugleich würde sie am liebsten zu Ash und sie anschreien und das so lange bis ihre Stimme versagte.

Ja, das würde ihr bestimmt erstmal Erleichterung verschaffen. Dazu müsste sie Ash aber zunächst finden.

Sie verlor sich schon wieder in einem Gedankenkarussell.

Auch hatte sie Lea gegenüber ein schlechtes Gewissen. Sie beschloss ihre Gedanken beiseite zu schieben und sich ihrer Rachepläne später zu widmen und für Lea Frühstück zu machen.

Außerdem durfte sie sich nicht so sehr ablenken lassen, denn heute war erst ihre zweite Schicht im Café Schreiberling, da wollte sie ganz bei der Sache sein.
Es war 6:30 Uhr als Nancy Lea mit einem Kuss auf die Stirn weckte.
»Guten Morgen, aufstehen, Frühstück ist fertig« …
Lea war anzusehen, dass auch ihre Nacht zu kurz ausgefallen war.
»Guten Morgen, wieso denn so früh?« Fragte Lea mit müder Stimme.
»Ich konnte nicht mehr schlafen und außerdem würde ich gerne noch mit dir reden über gestern Abend, bevor ich zur Arbeit muss.«
Dieser Satz lies Lea plötzlich wach werden. Endlich. Es hatte sie verrückt gemacht, es nicht zu wissen.
Während beide am Frühstückstisch saßen, erzählte Nancy Lea haarklein was Jeff gestern sagte und auch so manche Geschichten von früher, damit Lea die Zusammenhänge verstehen konnte.
Lea nahm alle Informationen schweigend auf ohne irgendetwas zu kommentieren oder zu fragen. Sie war froh, dass Nancy in Redelaune war und wollte ihren Flow nicht stören.
Es war so viel, sie hätte sich am liebsten Notizen gemacht aber das hier war keine Recherche für irgendeins ihrer Bücher, sondern das wahre Leben, das manchmal verrückt spielte. Das Leben konnte genauso unglaubliche Geschichte erzählen wie die überragende Fantasie eines Autors.

Es würde ihr schwer fallen sich nach diesem Gespräch heute an ihr Buch zu setzen und sich zu konzentrieren und nichts von alledem doch in ihrem Buch zu verwenden.
Je länger Nancy darüber sprach umso mehr wurde aus ihrer Verletztheit pure Wut. Sie wollte all das nicht auf sich sitzen lassen, sie konnte es nicht einfach ruhen lassen und sich so vielleicht für immer fühlen, als hätte Ashley gewonnen. Sie wurde hintergangen, an der Nase herumgeführt und das konnte Karma alleine nicht erledigen.
Nancy beschloss nach der Arbeit nochmals zu Jeff zu gehen. Sie war auf ihn zwar genauso wütend aber er war wahrscheinlich ihre einzige Chance irgendwie an Ash heranzukommen und er könnte damit ein bisschen was wieder gut machen.
Sie behielt ihre Idee jedoch erstmal für sich. Sie wollte Lea da nicht mit hineinziehen und noch weniger wollte sie, dass Lea versuchte es ihr auszureden.
»Ich gehe jetzt los«, sagte Nancy und war auch schon verschwunden, ehe Lea was sagen konnte.

Wie befürchtet war Lea so abgelenkt von den ganzen Geschichten, dass sie Mühe hatte, in ihre eigene Geschichte zu finden. Immer wieder begann sie den selben Satz zu schreiben, nur um ihn dann wieder zu löschen. Wenn das so weiter ginge, würde sie ihre geplanten dreitausend Wörter heute niemals schaffen.

Kapitel 32

26. Oktober 2021 , Ashley

Ashley war wie immer seit sechs Uhr morgens in der Galerie.

Sie hatte seit gestern nichts mehr von Hektor gehört, das machte ihr durchaus Sorgen. Sie hoffte inständig, dass er es geschafft hatte Jeff zum Schweigen zu bringen und Catharina vom Treffen abhalten konnte.

Sie hatte schon mehrmals versucht ihn zu erreichen, vergebens.

Jetzt wo alles auffliegen könnte, fiel es ihr sehr schwer sich noch auf ihre Arbeit zu konzentrieren. Wenn jemand davon erfuhr, würde sie nicht nur ihren Job verlieren, das war gewiss.

So gut kannte sie Hektor nicht, dass sie sich blind auf ihn verlassen würde. Er brauchte dringend Geld und sie dringend Hilfe. Sie bezahlte ihn extra nur häppchenweise, damit er nicht mit dem Geld abhaute und seine Aufträge nicht erledigte.

Im Abstand von ein paar Minuten versuchte sie ihn immer wieder anzurufen. Er hatte keine Mailbox-ansage, weswegen sie ihm nicht einmal eine Nachricht hinterlassen konnte.

Sie musste sich einen Notfallplan einfallen lassen, wenn alles raus käme, müsste sie noch viel weiter weg.

Die Galerie öffnete erst um neun Uhr.

Meistens erledigte Ashley davor alle Mailanfragen und Rückrufe aber heute nicht, sie wollte vorbereitet sein und recherchierte wohin sie gehen könnte, wenn ihr wackelig gebautes Kartenhaus aus Lügen und Erpressung einstürzen sollte. Im Grunde war sie feige. Sie hätte sich dem Ganzen stellen können und hätte dann für den Rest ihres Lebens mit dem Spott leben können, aber wie so oft entschied sie sich dafür, die Drecksarbeit andere erledigen zu lassen, um sich dieser Konfrontation, in der sie mehr als schlecht dastehen würde, zu entziehen. Es war immer leichter andere vorzuschicken und so sehr sie sich bewusst war, dass es falsch war, so konnte sie nicht anders. Früher oder später würde das Leben sie dafür bestrafen, da war sie sich sicher. Sie hatte Gefühle, Seelen und Vertrauen von Menschen zerstört, die sie eigentlich mochte und liebte, doch war die Verletzung zu groß, half manchmal auch keine Einsicht mehr.
Es gab eine Galerie die eine Kooperation mit dieser hier hatte. Sie war ca. zweihundert Kilometer weiter weg in einem kleinen Städtchen. Sie würde ihre Chefin bitten, sie dorthin zu versetzen.

Kapitel 33

26. Oktober 2021 , Jeff und Paul in der Jackson Bar

Nach dem Geständnis fühlte Jeff sich zum einen zwar erleichtert, zum anderen jedoch wie der letzte Mensch auf der Welt. Er konnte es sich selbst nicht verzeihen. Noch weniger würde Nancy das können.

Er konnte sie nicht mal um Verzeihung bitten, selbst das erschien ihm falsch, weil es für das was er getan hatte, keine Entschuldigung gab. So gab es nun zwei Dinge in seinem Leben die er sich vermutlich nie verzeihen konnte.

Die ganze Nacht lag er wach. Nachdem Nancy aus der Bar gestürmt war, beendete auch Jeff seine Schicht. Er konnte so nicht seine Gäste bespaßen und er war auch noch nicht bereit Paul ebenfalls die Wahrheit zu erzählen. Stattdessen wälzte er sich die ganze Nacht hin und her und suchte händeringend nach einer Idee was er nun tun sollte.

Er konnte sich nicht vorstellen, dass Nancy ihm, trotz ihrer Wut und Enttäuschung, ernsthaft schaden wollen würde aber er musste trotzdem damit rechnen. Nancy war der loyalste Mensch den er kannte, sie würde ihre Wut vermutlich nie über das Wohl eines anderen Menschen stellen, andrerseits hatte er so ziemlich das Selbe von Ashley gedacht.

Das lies ihn an seiner Menschenkenntnis zweifeln oder es sollte ihm eine Lehre sein, dass man für nichts und niemanden die Hand ins Feuer halten durfte. Menschen sind unberechenbar und vielleicht gab es keinen auf dieser Welt auf den man sich hundertprozentig verlassen konnte. Am Ende musste man sich selbst der Nächste sein. Worte haben ohne Taten keine Bedeutung und Taten sind so viel mehr, als jedes Wort. Täglich wird so vieles gesagt. So viele Worte werden ausgesprochen ohne, dass derjenige der sie ausspricht sich darüber im Klaren ist, dass er die Welt eines anderen nachhaltig zerstören könnte. Wir sprechen unbedacht, geben Versprechen ab die wir von Anfang an niemals einhalten könnten und versuchen uns, wenn wir sie gebrochen haben, auch noch herauszureden. Als würde es bei einem Versprechen Ausnahmen geben, die es legitim erscheinen lassen, dass man es nicht gehalten hat. Wir lügen wie gedruckt und damit wir uns besser fühlen, erfinden wir Gründe dafür. Was früher die Körperliche Folter war, ist heute die Ignoranz. Einen Menschen bewusst zu ignorieren ist nichts anderes, als eine noch schmerzhaftere Folter als die Körperliche. Der Körper konnte heilen, die Seele oftmals nie mehr.

All das ging Jeff nachts durch den Kopf und er hasste sich dafür, dass er kein Stück besser war.

Jeff war früh morgens zum Großmarkt gefahren und war vor Paul in der Bar.

Vielleicht sollte er heute endlich damit beginnen, der Mensch zu sein, der er sein wollte. Das bedeutete auch, Paul reinen Wein einzuschenken.

Natürlich bestand die Gefahr, dass auch Paul sich von ihm abwendete, zugleich brauchte Paul diesen Job und er hoffte, dass ihn wenigstens das in der Bar halten würde, denn auch Jeff brauchte Paul. Wenn er schon nicht mehr sein Freund sein wollte, dann hoffentlich noch sein Angestellter.
Paul würde heute erst am späten Vormittag auftauchen. Bis dahin hatte Jeff genug Zeit sich zu überlegen, wie er Paul alles nahebringen konnte.

Paul fühlte sich wie überfahren als er aufwachte. Nachdem Jeff gestern Abend einfach wieder gegangen war, nach dem Gespräch mit Nancy, musste Paul den Laden wieder mal alleine schmeißen. Bevor er in Jeffs Büro kam, blieb er kurz vor der Tür stehen und versuchte zu lauschen. Doch er verstand nicht genug um sich einen Reim darauf zu machen worum es ging. Ein bisschen hatte er ja gehofft, dass Jeff ihm von dem Gespräch erzählen würde, doch er verschwand genauso schnell wie Nancy. Langsam hatte er das dringende Bedürfnis nach ein paar freien Tagen. In letzter Zeit war er ununterbrochen in der Bar und musste für zwei arbeiten, wenn Jeff mal wieder abhaute oder erst gar nicht kam. Allmählich war er so müde und ausgelaugt, dass er Mühe hatte eine ganze Schicht durchzustehen ohne, dass er Bestellungen vergaß oder die falschen Drinks servierte.
Auch wenn Jeff schräg drauf war, er würde ihn trotzdem um ein bisschen Urlaub bitten.

Paul quälte sich aus dem Bett, gönnte sich eine heiße Dusche und ging früher als er musste zur Arbeit. Er wusste ja nicht, was ihn erwartete. Wenn er alles alleine vorbereiten musste, brauchte er die zusätzliche Zeit unbedingt.
Paul sah Jeffs Pick up vor der Bar stehen. Er war erleichtert, dass er nicht wieder alleine war und zugleich fühlte er sich in letzter Zeit immer etwas unwohl wenn er auf Jeff traf. Jeff wirkte auf ihn jedes Mal wie eine tickende Zeitbombe. Unterbewusst zerrte das an seinen Nerven. Er wusste nie so recht wie er sich Jeff gegenüber verhalten sollte. Die lockere Art zwischen ihnen gab es nicht mehr.
»Guten Morgen Jeff«, sagte Paul als er die Bar betrat und sah, dass Jeff schon mitten in den Vorbereitungen war. Er hoffte, dass das ein gutes Zeichen war und Jeff heute nicht so schräg drauf war, wie die letzten Tage.
»Morgen Paul«, antwortete Jeff und schaute kurz von seiner Arbeit auf. Sie musterten sich gegenseitig. Paul blieb wie angewurzelt stehen.
»Was stehst du da so rum, willst du mir nicht helfen?« frage Jeff.
Im Gegensatz zu den letzten Tagen fragte er das wie früher mit freundlicher Stimme und schenkte ihm sogar ein Lächeln.
»Klar Chef, schon unterwegs.« Paul ging ins Lager und holte alle notwendigen Zutaten, die für heute Abend vorbereitet werden mussten.

Vorerst war Paul erleichtert. Vielleicht konnte die Schicht heute doch gut werden und er konnte die Laune von Jeff ausnutzen um ihn nach dem Urlaub zu fragen nach dem er sich so sehr sehnte.
Paul stellte sich neben Jeff in der Hoffnung, einen guten Moment abzupassen.
»Hast du Lust zusammen ein Bier zu trinken bevor das Geschäft los geht?« fragte Jeff unvermittelt.
Darauf hatte Paul gewartet. Jeff machte den ersten Schritt. Bei einem Bier konnten sie endlich mal wieder reden.
»Klar, gerne, ich brauche nicht mehr lange«, sagte Paul. Er versuchte nicht all zu sehr zu strahlen doch es freute ihn wirklich. Er vermisste seinen Kumpel, die Gespräche und die harten Schichten die sie gemeinsam immer mit viel Humor bewältigt hatten.
Eine halbe Stunde später waren Paul und Jeff fertig mit den Vorbereitungen und setzten sich mit einem großen Glas Bier an die Bar.
»Paul, ich weiß, dass ich in letzter Zeit kein guter Chef war und ein noch schlechterer Freund, dafür möchte ich mich bei dir entschuldigen aber es gibt Dinge, die haben mich wirklich fertig gemacht und es ist an der Zeit sie dir zu erzählen.« …
Paul war auf alles gefasst. Er hielt sich an seinem Bierglas fest.
Jeff fing die Geschichte genauso an wie bei Nancy am Vortag.

Heute fiel es ihm leichter. Wahrscheinlich weil er es schon einmal erzählt hatte. Doch er hatte vor Pauls Reaktion genauso Angst wie gestern vor Nancys.
Er redete sich geradezu in Rage weil er sich immer und immer wieder versuchte zu rechtfertigen. Paul hörte nur zu. Nicht ein Wort kam über seine Lippen. Jeff wusste nicht, ob das ein gutes oder ein schlechtes Zeichen war und eigentlich durfte er sich nicht rechtfertigen, denn er hatte es einfach verbockt, anders konnte man es nicht sagen. Auch wenn man manchmal in einem Anfall von Gefühlen dachte, man hätte das Recht dazu so zu handeln wie man eben handelte, hieß das noch lange nicht, dass unsere Gefühle uns das Recht dazu gaben, einen Schritt zu weit zu gehen.
Ab wann war ein Ausnahmezustand ein Ausnahmezustand? Dafür gab es keine eindeutige Definition, denn sie lag im Auge des Betrachters oder eben im Auge desjenigen der von seinen Gefühlen übermannt wurde. War es eine Entschuldigung, wenn man nicht mehr Herr seiner Sinne war? Vielleicht bis zu einem bestimmten Punkt. Jeff war sich da nicht sicher und doch suchte er unentwegt Erklärungen für sein mieses Verhalten.
Jeff beendete seine Erzählung mit einem trockenen »das war's.«
Paul schwieg lange, sehr lange. Auch Jeff wagte es nicht noch etwas zu sagen, stattdessen drehte er das Glas in seinen Händen hin und her und starrte hinein.

Wortlos stand Paul auf, nahm seine Jacke...»bis später«, und war weg.
Jeff lies den Kopf hängen. Nun hatte er endgültig den letzten Menschen in seinem Leben vergrault. Er schaffte es immer und immer wieder Menschen aus seinem Leben zu verbannen, obwohl er das gar nicht wollte. Sein Kopf schaltete sich oftmals erst ein, wenn es zu spät war, um es wiedergutzumachen. Die Konsequenzen seiner Handlungen waren ihm meist im ersten Moment nicht bewusst. Man konnte es eine Charakterschwäche nennen oder er war eben einfach kein guter Mensch.

Kapitel 34

Dienstagabend, Nancy und Lea

Lea holte Nancy wieder von ihrer Schicht im Schreiberling Café ab.

Nancy gab sich allergrößte Mühe, nicht ständig an gestern Abend zu denken, doch es gelang ihr nicht besonders gut. Trotzdem überstand sie ihre Schicht ohne irgendwelche Vorfälle.

Lucy war zufrieden und das wiederum machte Nancy glücklich. Sie wollte diesen Job unbedingt behalten. Zum ersten Mal war sie zumindest zufrieden.

Nancy und Lea tranken noch einen Kaffee bevor sie in die Innenstadt gingen um gemeinsam Mittag zu essen .

Nancy fiel es schwer, Lea nichts von ihren Plänen bezüglich Ashley zu erzählen. Sie wollte alles mit ihr teilen und zugleich wusste sie nicht, ob es in diesem Fall auch das Richtige war.

Sie wollte davon auf keinen Fall abgehalten werden aber sie wollte auch nichts hinter ihrem Rücken tun.

Beim Essen würde sie sich an die Sache herantasten, beschloss sie.

Sie waren planlos losgelaufen. Sie hatten sich vorher kein Restaurant ausgesucht. Nancy ging selten Essen und kannte auch nicht so viele gute Restaurants in der Stadt. Ganz anders Lea, sie ging mehrmals die Woche auswärts Essen, hatte Meetings in den besten

Restaurants der Stadt und kannte gefühlt die meisten Restaurantinhaber beim Namen.
»Worauf hast du Lust? Italienisch, Mexikanisch, Japanisch?« frage Lea, während sie fasziniert in Nancys Augen blickte.
»Oh, da bin ich gerade total überfragt. Kannst du was empfehlen?«
Lea dachte nach und wie immer wenn sie das tat, schaute sie hinauf. Als wäre dort oben im rechten Eck die Antwort auf alle Fragen.
»Eine Straße weiter ist ein Italiener, Giovanni der Besitzer ist mega. Er kreiert die verrücktesten Pizzen.«
»Dann los gehts, ich liebe Pizza«, sagte Nancy und nahm Lea bei der Hand.
Die Pizzeria von Giovanni war sehr modern eingerichtet und die Wände waren in warmen Gelb- und Orangetönen gestrichen.
Als Lea und Nancy das Restaurant betraten und Giovanni sie erblickte, kam er direkt auf die beiden zu. Mit ausgebreiteten Armen und einem Grinsen, das von einem Ohr zum anderen ging, begrüßte er Lea.
»Meine Liebe, so lange warst du nicht mehr da«, sagte er freudestrahlend.
»Und wer ist deine hübsche Begleitung?« Er drehte sich zu Nancy und bestaunte sie von oben bis unten.
Lea war sichtlich stolz.
»Das mein Lieber, ist meine Freundin Nancy«, verkündete Lea.

Nancy fühlte sich geschmeichelt und zugleich wie auf einem Präsentierteller. Es war ihr unangenehm, dass alle Gäste sich nun zu ihnen drehten und sie beobachteten aber es fühlte sich gut an, wie stolz Lea sie vorgestellt hatte.

»Ihr bekommt den besten Tisch den wir haben.« Giovanni führte die beiden an einen kleinen Tisch für zwei, der direkt an einem offenen Kamin stand und brachte sogar extra eine Kerze für die beiden. Als hätten sie ein Candle Light Dinner bei ihm gebucht.

»Lasst es euch gut gehen, ihr zwei«, sagte Giovanni und verschwand in der Küche.

Sie stöberten in der Karte und wie es meist so war, selbst wenn man eine Karte kannte, man schaute sie an, nur um am Ende wieder das Altbewährte zu nehmen.

Nachdem sie ihre Bestellung aufgegeben hatten, lies Giovanni es sich nicht nehmen immer wieder nach ihrem Wohl zu fragen.

Nachdem die ersten Gläser Wein getrunken waren, wurde das Gespräch von Lea und Nancy deutlich intensiver und nicht mehr so oberflächlich wie es im Alltag eines Paares oft war.

Und weil Nancy den Wein schon in ihrem Kopf spürte, wurde sie mutiger. Sie wollte zwar eigentlich alles hinter Leas Rücken klären, bezüglich Jeff und Ashley, doch irgendwie fühlte es sich falsch an.

»Ich habe mir was überlegt. Ich denke, ich möchte es nicht auf mir sitzen lassen was Ashley getan hat« …

Nancy machte eine Pause um Leas Reaktion zu beobachten.
Lea lies sich jedoch noch nichts anmerken und hörte Nancy ohne eine Veränderung ihres Gesichtsausdruckes zu.
»Jeff ist mir definitiv nun was schuldig. Ich wollte ihn bitten, mir zu helfen Ashley zu finden oder vielleicht weiß er es ja sogar.« … wieder eine Pause.
Noch immer keine Veränderung in Leas Gesicht zu sehen.
»Ich muss Ash zumindest alles sagen was mir auf dem Herzen brennt um damit abschließen zu können, versteht du?«
Nancy blickte Lea hoffnungsvoll, mit großen Augen an.
Lea senkte ihren Blick und schien den Rest ihrer Pizza zu begutachten.
»Nun sag doch was, bitte« legte Nancy nach. Das Schweigen gefiel ihr überhaupt nicht. Sie konnte es nicht recht zuordnen.
»Wenn du das so möchtest, dann werde ich dich dabei unterstützen. Ich verstehe, dass es dir schwerfällt abzuschließen, auch wenn ich mir wünsche, dass du es einfach vergisst und wir unsere gemeinsame Zeit genießen und erleben können, aber manches muss man vielleicht erst bereinigen bevor man darüber hinweg kommt«, sagte Lea und griff nach Nancys Hand, die sie nun in ihrer hielt.

Nancy war überaus erleichtert über die Reaktion von Lea.
Es machte sie glücklich, dass es sich zwischen ihnen anfühlte, als wären sie schon ewig zusammen und die eine konnte sich auf die andere verlassen, egal was geschah.
Nancy war bewusst, dass sie gerade von der Verliebtheit gesteuert wurde und sicher schaute man die ersten Monate durch eine rosarote Brille und trotzdem hatte sie ein Urvertrauen gegenüber Lea.
»Danke, ich bin so froh, dass du das sagst. Das bedeutet mir sehr viel und ich verspreche dir, danach werde ich mich nur noch auf uns konzentrieren und wir werden die schönsten Sachen miteinander erleben aber dafür muss ich erst einmal frei von der Vergangenheit sein.«
»Ich weiß was du meinst, Süße. Wie willst du vorgehen?«
»Ich wollte heute Abend noch bei Jeff in der Bar vorbeischauen und nochmal mit ihm sprechen. Ich muss wissen, ob er bereit ist mir zu helfen.«
»Okay, dann lass uns zu Ende essen und noch ein Glas Wein genießen und dann können wir von mir aus auch schon los«, sagte Lea.
Eigentlich wollte sie heute noch die ein oder andere Seite schreiben, aber in diesem Fall war ihre Freundin wichtiger. Sie wollte sie damit nicht alleine lassen. Dafür müsste sie eben morgen umso mehr schreiben.

Kurz nach siebzehn Uhr machten sie sich auf den Weg in die Jackson Bar.

Die Luft war eisig aber es war trocken.

Kapitel 35

Dienstagabend, Jackson Bar

Pünktlich um siebzehn Uhr traf Paul wieder in der Bar ein. In seiner Pause konnte er nichts anderes tun, als über das nachzudenken, das Jeff ihm erzählt hatte.
Er konnte es nicht verstehen, doch er war sich sicher, dass Jeff trotz allem ein guter Kerl war. Er kannte ihn schon so lange, jeder hatte mal einen Fehltritt, wurde mal schwach und tat in dieser Zeit etwas Unüberlegtes.
So enttäuscht er von Jeff war, er war nicht sauer auf ihn. Er konnte nachvollziehen, warum Jeff so gehandelt hatte. Manchmal dachten wir eben doch erst an uns, bevor wir an jemand anderen dachten oder wir sind uns der Konsequenzen für den anderen Menschen gar nicht bewusst, zumindest nicht im ersten Moment.
Jeff saß in seinem Büro als Paul kam.
»Hey Chef, bin da«, sagte Paul, nachdem er an seine Bürotür geklopft hatte.
Jeff schaute auf und schien verdutzt zu sein, dass Paul überhaupt mit ihm sprach. Ja, vielleicht war er sogar überrascht, dass Paul zu seiner Schicht kam. Sicher war er sich da nämlich nicht, nach dem Paul gegangen war.
»Schön, dass du da bist.«

Paul ging an die Arbeit. Noch war es eher ruhig in der Bar, so hatte Paul genügend Zeit sich zu überlegen mit welchen Worten er am besten auf Jeff zugehen konnte.
Es herrschte noch immer eine komische Stimmung zwischen Jeff und Paul. Keiner von beiden wusste so recht, wie er mit dem anderen umgehen sollte und beide wirkten sehr unbeholfen.
Jeff wollte lieber erst abwarten. Ihm war bewusst, dass er mit Druck nichts erreichen konnte. Er konnte nur hoffen, dass Paul auf ihn zukam.
Paul wuselte zwischen den Tischen umher, nur um beschäftigt zu sein. Es war ihm irgendwie unangenehm nichtstuend neben Jeff zu stehen. Unter normalen Umständen hätten sie in solchen Situationen einfach gequatscht aber auch Paul suchte im Kopf nach den richtigen Worten.
Da es Dienstagabend war, würden heute sowieso nur die üblichen Stammgäste auf ein Feierabendbier kommen.
Das hieße, dass sie heute Abend genug Zeit hätten um zu reden. Wenn man in so einer ruhigen Schicht schwieg dann kam sie einem noch viel länger vor und die Uhr schien still zustehen. Das war am Ende viel mühseliger und anstrengender, als eine volle Bar.
Ewig konnte Paul sich also nicht zwischen den Tisch aufhalten. Das war viel zu auffällig.
Er ging hinter die Bar und zapfte sich ein Bier. Er gab sich einen Ruck.
»Möchtest du auch eins, Jeff?«

Jeff rechnete gar nicht damit, weswegen er fast schon erschrak als Paul sprach.
»Ja, gerne«, antwortete Jeff.
Paul zapfte ein zweites Bier und schob es Jeff herüber.
»Prost«, Paul hob sein Glas.
Jeff erwiderte mit einem sanften Gesichtsausdruck.
»Danke, dass du gekommen bist«, sagte Jeff nun.
»Wieso nicht? Es ist mein Job … und um ehrlich zu sein, du bist mein Freund« … diese Worte lies Jeff in seinem Kopf immer und immer wieder abspielen.
Sie taten ihm gut. Er wagte es zwar nicht sich zu sehr darüber zu freuen, aber so ganz verbergen konnte er es auch nicht.
»Ich bin wirklich froh, dass du das sagst, Paul.«
»Ich hoffe, dass du in Zukunft gleich mit deinem alten Freund redest, okay?«
Jeff war so erleichtert, dass er beinahe Tränen in den Augen hatte.
»Versprochen«, sagte Jeff und prostete Paul nochmal zu.

In diesem Augenblick betraten Lea und Nancy die Bar.
Jeff machte große Augen. Mit den beiden hatte er nicht gerechnet. Vor allen Dingen nicht mit Nancy.
Er war sich nicht sicher ob er froh sein oder eher Angst haben sollte. Ihm wurde heiß und kalt.
Lea hielt sich im Hintergrund, aber Nancy kam mit einem festen, sicheren Schritt und einem starren, kalten Blick auf Jeff zu.

Es löste fast einen Fluchtreflex in ihm aus und er stellte sich innerlich schon mal auf das Schlimmste ein. Sie schnappte ihn am Arm und zerrte ihn hinter sich her bis sie in seinem Büro waren. Sie schloss die Tür.

»Wo steckt Ash?«

Jeff fühlte sich überrumpelt und wusste nicht recht wie ihm geschah.

»Ich … ich weiß es nicht.«

»Sag's einfach, Jeff!« Nancy musterte ihn wütend. Sie war aufgebracht. Kaum hatte sie Jeff gesehen, war sie wütend geworden, aber nur er konnte ihr helfen Ash zu finden.

»Nancy, glaub mir, ich weiß es wirklich nicht. Sie hat es niemandem erzählt. Ich weiß nur, dass sie geplant hatte zu gehen, aber nicht wohin« … Jeff hoffte inständig, dass Nancy ihm glaubte doch ihr Blick verfinsterte sich nur noch mehr.

»Ich glaube dir kein Wort. Willst du sie jetzt etwa auch noch schützen?« brüllte sie ihn nun an.

»Sie hat alles zerstört und ich werde sie zur Rechenschaft ziehen«, legte Nancy nach.

»Hey, ich verstehe dich ja und wenn ich es wüsste, würde ich es dir sagen, ehrlich« …

»Ehrlich, du und ehrlich, das ist wohl nicht deine größte Stärke, Jeff, nicht wahr?!« Nancy wollte gar nicht so reagieren, doch sie fühlte sich wie ferngesteuert.

»Du hast allen Grund wütend auf mich zu sein, aber bitte glaube mir wenigstens, dass ich genauso wenig weiß wo Ash steckt, wie du. Auch Catharina kann ich nicht finden. Ich bin eines Nachts die ganze Stadt abgefahren …«

»Catharina interessiert mich nicht. Die Rechnung habe ich mit Ash offen und wenn du wirklich nicht weißt wo sie ist, dann hilf mir gefälligst es herauszufinden. Ich werde keine Ruhe geben, ehe ich sie gefunden habe.«

Jeff spürte wie ernst es Nancy damit war.

»Wie kann ich dir helfen?«

»Indem du herausfindest wo Ash untergetaucht ist. Hast du ihre Nummer?«

»Ich habe auch nur die Nummer, die du auch hast, also ihre alte. Die Nummer ist meistens nicht erreichbar.«

»Das weiß ich selbst« ….

Nancy dachte nach. Sie grübelte wie sie nun über Jeff an Ash herankommen sollte.

»Schreib ihr, jetzt!«

»Was soll ich ihr schreiben?«

»Dass du mit ihr reden musst oder so, mir doch egal, lass dir was einfallen, das bist du mir schuldig oder meinst du nicht?«

Jeff hielt von dieser unüberlegten Idee rein gar nichts und er glaubte auch nicht daran, dass dabei etwas Sinnvolles herauskam.

»Glaubst du etwa, sie erzählt mir einfach wo sie steckt, glaubst du das wirklich?«

Allmählich wurde auch Jeff ärgerlich.

So sehr er Nancy verstand, aber er konnte es sich auch nicht aus den Fingern saugen.
Nancy lies einen langen Seufzer los während sie sich in den Stuhl an Jeffs Tisch fallen lies und ihren Kopf in ihre Hand legte.
»Du hast ja recht. Ganz so einfach wird es wohl nicht.«
»Nein, ganz ohne Plan wird es wirklich nichts und der Typ den Ash auf mich angesetzt hatte, hat sich nicht mehr blicken lassen, obwohl ich mich seiner Weisung widersetzt habe.«
»Welche Weisung meinst du?«
»Der Weisung, dir nichts zu sagen.«
Nancy war wieder einmal fassungslos.
Wie krank musste Ash in Wirklichkeit sein.
»Hatte er dir gedroht?« Nancy blickte auf und schaute in Jeffs müde Augen. Er sah erbärmlich aus, ausgelaugt, ausgezehrt vom Leben.
»Ja, aber anscheinend war es nur heiße Luft oder er hat noch nichts mitbekommen. Passiert ist bisher nichts.«
Jetzt bekam Nancy doch ein kleines bisschen ein schlechtes Gewissen.
Jeff hatte alles riskiert nur um ihr doch die Wahrheit zu sagen. Damit rückte er sich wieder in ein besseres Licht, fand Nancy.
»Bist du bereit mir zu helfen?« fragte Nancy.
»Sicher, ich habe nichts mehr zu verlieren und ich stehe in deiner Schuld aber lass es uns nicht übereilt machen. Lass uns erst einen guten Plan haben bevor wir die Sache angehen.«

Das klang vernünftig. Vernünftiger als das was in Nancys Kopf vorging. Sie war so in Rage und so fest entschlossen, dass sie keine Geduld aufbrachte sich erst was tolles einfallen zu lassen, sie wollte handeln, lieber gestern als heute.

»Du hast recht. Wir müssen mit Köpfchen an die Sache heran gehen.«

»Lass uns erstmal überlegen, wie unser Plan aussehen könnte, dann setzen wir uns morgen Abend nochmal zusammen und machen aus unseren Ideen einen Schlachtplan, ist das okay für dich?«

Nancy dachte nach ... ja manches brauchte eben seine Zeit. Überhastet machte man meist nur Fehler und lies sich von seinen Gefühlen, egal ob negativ oder positiv, treiben und das wiederum führte selten zum Erfolg.

»Okay, ich komme morgen Abend vorbei, vielleicht fällt uns ja was Brauchbares ein.«

Nancy stand auf und wollte gerade durch die Tür, als sie stehen blieben und sich nochmal zu Jeff herumdrehte.

»Danke.«

Dieses kleine Danke, löste in Jeff regelrechte Freudensprünge aus. Es war so klein und doch tat es ihm in diesem Augenblick gut. Es schenkte ihm ein bisschen Hoffnung, dass er vielleicht doch mit Nancy befreundet bleiben konnte nachdem alles erledigt wäre. Vielleicht würde sie ihn doch nicht bis ans Ende ihrer Tage hassen. Er wünschte es sich zumindest so sehr, dass er beinahe alles bereit war zu tun, um Nancy zu helfen.

Nancy kam heraus und sah, dass Lea an der Bar saß und sich schon ein Getränk bestellt hatte.
Lea beobachtete jeden Schritt den Nancy auf sie zu tat.
Sie blickte besorgt.
»Ist alles in Ordnung, Süße?«
»Ja, sicher. Möchtest du noch etwas bleiben oder lieber nach Hause gehen?«
»Lass uns noch ein Weilchen bleiben. Danach können wir es uns zuhause gemütlich machen. Ich habe nämlich ganz schön Sehnsucht nach dir, wenn du weißt was ich meine», sagte Lea zwinkernd.
Nancy setzte sich auf den Platz daneben und bestellte sich einen Cocktail.
Ihr Herz machte jedes Mal Sprünge wenn Lea so etwas zu ihr sagte. Sie liebte es, dass Lea so ein Verlangen nach ihr hatte und sie hoffte, dass das für immer so bliebe. Natürlich war ihr bewusst, dass das meist nur in der Anfangsphase so war, aber vielleicht konnte es ja manchmal auch anders sein?! Wer weiß.
»Das klingt nach einem Plan«, erwiderte Nancy und küsste Lea auf den Hals, als kleinen Vorgeschmack auf später.
Lea lief es den Rücken herunter. Es fiel ihr furchtbar schwer, sich nichts anmerken zu lassen.

»Okay, bevor ich hier schon verrückt werde, willst du mir erzählen wie es mit Jeff gelaufen ist?« sagte Lea um abzulenken.

Nancy versuchte ihr den Gesprächsverlauf so gut wie möglich wiederzugeben. Sie möchte Lea an allem teilhaben lassen, zumindest soweit sie es selbst eben mochte.

Nachdem Nancy fertig war, sagte Lea zunächst nichts. Nancy hatte schon Angst, dass Lea wütend werden würde, weil sie nicht locker lassen wollte. Doch Wut war in Leas Gesicht nicht zu sehen.

Stattdessen schaute sie ihr in die Augen und sagte: »was immer ihr euch auch einfallen lasst, ich werde euch helfen, wenn du das möchtest.«

Nancy war erleichtert und froh, dass Lea ihr helfen wollte. Auch wenn es ihr lieber wäre, sie könnte Lea aus allem heraus halten aber sie gehörte nun zu ihrem Leben und da gehörten auch unschöne Zeiten dazu, in denen man zusammenhalten musste. Zwei gegen den Rest der Welt, das machte manchmal den Unterschied zu Beziehungen aus, die bei den kleinsten Reibereien scheiterten. Um glücklich zu sein, musste man den Menschen finden, der sich in jeder Situation für einen selbst entscheiden würde und sich dann damit auch noch gut fühlte.

»Danke Süße, es bedeutet mir wirklich viel und ich hätte dich gerne dabei, aber noch haben wir ja keinen richtigen Plan«, erwiderte Nancy.

»Aber den werdet ihr noch finden, da bin ich mir ganz sicher, aber lasst euch Zeit … und jetzt lass uns gehen«, zwinkerte Lea Nancy zu.
Nancy fühlte sich seit einer Ewigkeit mal wieder richtig angekommen. Zwar fühlte sie das damals bei Catharina auch erst einmal aber dieses Gefühl verschwand nach und nach. Je mehr schief lief, desto weniger blieb von diesem Gefühl übrig. Irgendwann überwogen Zweifel und Ängste. Am Ende hatte wahrscheinlich das diese Beziehung aufgefressen.

Nancy und Lea schlenderten nach Hause, blieben an zahlreichen Schaufenstern stehen, warfen sich verliebte Blicke zu und blieben immer wieder stehen um sich in den Armen zu halten. Es schien als wären sie in diesem Augenblick alleine auf der Welt. Zumindest hatten sie nur Augen für einander.
Es war zwar schon stockfinster, doch durch die Weihnachtsbeleuchtung in der Stadt, die jedes Jahr immer früher aufgehängt wurde, entstand eine wunderschöne Atmosphäre. Man hatte das Bedürfnis sich länger als notwendig in der Kälte aufzuhalten.
Kurz nach zwanzig Uhr kamen Nancy und Lea durchgefroren zuhause an.
»Ein heißes Bad wäre doch jetzt perfekt oder was meinst du?« fragte Lea.
Als hätte sie Gedanken lesen können. Genau das selbe dachte Nancy eine Sekunde zuvor auch.
»Oh ja, das ist die beste Idee des Tages.«

Lea ging ins Bad und lies das Badewasser einlaufen. Sie war so erschöpft und zugleich gab ihr das Verliebtsein eine Energie, auf die man sonst nicht zugreifen konnte.

Kapitel 36

Mittwoch, 27. Oktober 2021 , Ashley

Ashley war die ganze Nacht wach gewesen. Sie hatte mindestens noch zwanzig mal bei Hektor angerufen, aber erreichte ihn nie.

Wie es schien, hatte er sich wohl aus dem Staub gemacht.

Ashley selbst blieb nun nichts anders übrig, als sich wieder auf den Weg zu machen. Ohne Hektor hatte sie das letzte Druckmittel verloren.

Sie packte ihre Habseligkeiten wieder in Kartons ohne zu wissen, wohin die Reise sie nun führen würde.

Kapitel 37

14. Dezember 2021

Nancy versuchte ihre Augen zu öffnen, doch sie waren schwer wie Blei. Einen winzigen Spalt nur, doch das Licht, das auf ihr Auge traf, brannte ihr gefühlt die Netzhaut nieder.

Alles an ihrem Körper fühlte sich so schwer an. Sie versuchte langsam ihre Finger zu bewegen, doch es kostete sie eine enorme Kraft und unendlich viel Konzentration.

Was war nur los … zum Teufel.

Nancy versuchte sich aufzusetzen, doch es war schier unmöglich. Als würde ein LKW auf ihr parken.

Sie hatte nicht mal ausreichend Kraft um in Panik zu verfallen. Sie war nicht in der Lage irgendetwas zu begreifen, als wäre sie ausgelöscht worden.

Auf einmal hörte sie jemanden ins Zimmer hereinkommen.

Lea, es musste Lea sein.

»Lea, bist du das?« krächzte Nancy. Ihre Stimme war kaum zu hören und ihre Worte unverständlich. Sie hörte sich selbst und verstand nichts.

»Frau Roberts? Frau Roberts, sind Sie wach?«

Nancy kannte die Stimme nicht und warum nannte man sie beim Nachnamen … ?

Sie versuchte wieder ihre Augen langsam zu öffnen, ein kleines bisschen, damit sie sich endlich orientieren konnte. Es schmerzte so sehr, doch es gelang ihr, ihre Augenlider soweit zu öffnen, dass sie verschwommen eine Frauengestalt erkennen konnte.

Eine Frauengestalt die, obwohl Nancy wie durch einen Schleier schaute, definitiv nicht Lea sein konnte.

»Wer sind Sie?«

Nancys Stimme bekam etwas mehr tiefe, aber es verlangte ihr einiges ab.

So viel hatte sie doch gestern gar nicht getrunken.

»Frau Roberts, ich bin Schwester Elisabeth. Schön, dass Sie wieder bei uns sind. Haben Sie keine Angst, Sie sind im St. Vincent Krankenhaus.«

Die Worte drangen nur sehr langsam und verzerrt zu Nancy durch.

Krankenhaus? Wie? Wieso?

Diese Information zu verarbeiten machte sie so müde, dass sie gegen ihre schweren Augenlider ankämpfen musste. Kaum hatten sich ihre Augen an das grelle Licht gewöhnt, wollten sie sie auch schon wieder in die Dunkelheit schicken.

Doch sie bäumte sich dagegen auf.

»Was ist passiert?« war das Letzte, das Nancy noch sagte, bevor sie wieder in den Schlaf fiel.

Kapitel 38

14. Dezember Schwester Elisabeth

Schwester Elisabeth strich Nancy sanft über die Hand und kontrolliere nochmals auf dem Monitor ihre Vitalfunktionen.
Sie war außer sich vor Freude, niemand hätte mehr damit gerechnet. Dies war einer ihrer schönsten Arbeitstage. Sie liebte ihren Job, egal wie hart er oftmals war. Es waren genau solche Tage, an denen Wunder geschahen, die sie immer wieder bestätigten den richtigen Beruf gewählt zu haben.
Sie musste sofort dem behandelnden Arzt und den Angehörigen Bescheid geben.
Sie eilte ins Schwesternzimmer.
Aufgeregt und den Tränen, vor lauter Glück nahe, betrat sie das Zimmer in denen die Schwestern ihre Monitore hatten und zugleich war es manchmal auch ihr Pausenraum.
Heute war nur eine ihrer Kolleginnen da, Schwester Dorothea.
»Dorothea, du wirst es nicht glauben, Frau Roberts ist aufgewacht, sie hat gesprochen.«
Dorothea musste diese Information erst verarbeiten, ihr blieb der Mund offen stehen.
Nach acht Monaten Koma sank die Chance mit jedem Tag, aber immer wieder gab es solche Wunder.

Schwester Elisabeth funkte den behandelnden Arzt an. Sie litten seit Monaten an Personalmangel, so war es keine Seltenheit, dass nur ein Arzt für eine ganze Station Schicht hatte. Somit konnte es also dauern, bis Dr. Charlson vorbei kam.

Dorothea erwachte aus ihrer Starre.

»Oh mein Gott, wir müssen sofort ihre Angehörigen informieren.« Hektisch wühlte sie in den Unterlagen um die Nummer von der Lebensgefährtin von Frau Roberts zu finden.

»Du hast recht, das habe ich vor lauter fast vergessen, ich übernehme das, ich habe die letzten Male schon mit Frau Catharina Manson gesprochen.«

Kapitel 39

14. Dezember Catharina

Wie in den letzten acht Monaten zuvor, wachte auch heute Catharina auf und griff zuerst nach ihrem Smartphone um sich ein Bild von ihr und Nancy aus glücklichen Tagen, vor dem schrecklichen Unfall anzuschauen.
Danach checkte sie immer ihre Mails und Mailbox, in der Hoffnung, dass sich jemand aus dem Krankenhaus meldete.
Seit acht Monaten, jeden Morgen der selbe Ablauf, jeden Tag aufs neue Hoffnung, die am Ende des Tages enttäuscht wurde.
Sie konnte und wollte Nancy nicht aufgeben, es bestand immer eine Chance, sie durfte nur niemals den Glauben verlieren.

Catharina und Ash verstanden sich zwar nie wirklich gut, aber seit Nancy im Koma lag, hielten sie zusammen als wären sie beste Freundinnen. Schmerz und Trauer konnte Menschen zusammen bringen. Sie trafen sich mehrmals die Woche. Manchmal im Krankenhaus an Nancys Bett oder der Cafeteria und wenn die Zeit es erlaubte, gingen sie zusammen abends zu Jeff, um sich abzulenken.

Die ersten drei Monate ging Catharina nicht mal zur Arbeit. Es war einfach unmöglich.
Nachdem sie die ersten vierzehn Tage durchgehend, bis auf ein paar Ausnahmen, weinend im Bett verbrachte, versuchte sie zwar zurück ins Leben zu finden, doch ihre Kraft erlaubte es ihr lediglich den Tag irgendwie zu überleben und in Erinnerungen zu versinken.
Ash war ihr in dieser Zeit eine große Stütze ,obwohl es ihr selbst auch nicht viel besser ging.
Catharina setzte sich an den Esstisch und trank ihren ersten Kaffee, es war der wichtigste des Tages damit sie überhaupt funktionierte.
Sie rief Ash an. Es klingelte nur zweimal bis Ash sich, schwer schnaufend, meldete.
»Hallo, guten Morgen Ash, wie geht es dir? Wieso bist du so außer Atem?»
»Guten Morgen Cath, oh ich bin gerade joggen, du weißt ja, von nichts kommt nichts und so.«
»Seit wann treibst du denn Sport Ash?« Catharina riss ungläubig die Augen auf, sie wusste, dass Ash Sport hasste.
»Genau seit heute«, sagte Ash lachend, soweit man die Geräusche die sie von sich gab so nennen konnte.
»Verstehe, dann lass dich bei deinem Motivationsschub mal nicht stören, melde dich wenn du zuhause bist.«
»Okay«, Ash legte auf.

Im selben Augenblick klingelte Catharinas Handy. Im ersten Moment dachte sie, Ash würde wieder anrufen, weil sie es sich anders überlegt hatte mit dem Sport.
Doch es war nicht Ash, ihr stockte der Atem als sie die Nummer vom Krankenhaus sah. Das Krankenhaus rief nie an außer wenn sich der Zustand von Nancy mal verschlechtert hatte.
Ihre Hand, in der sie ihr Telefon hielt, fing an zu zittern. Es durchfuhr sie ein kalter Schauer.
»Catharina Manson hier, hallo?« Ihre Stimme zitterte wie ihre Hand.
»Oh, hallo Frau Manson, schön, dass ich Sie erreiche.
Es tut mir leid, dass ich sie so früh schon anrufe aber es gibt wunderbare Neuigkeiten. Ihre Lebensgefährtin ist heute morgen zum ersten Mal aufgewacht und hat einige Worte gesprochen.« Sie freute sich so sehr, als sie diese Worte aussprach, dass sie dabei gluckste.
Bei Catharina überschlugen sich die Worte im Kopf. Sie war sich nicht sicher, ob sie richtig verstand.
»Sie ist wach?« fragte Catharina, als hätte man ihr erzählt, sie würde morgen auf den Mars fliegen.
»Ja also sie war wach, sie ist schnell wieder eingeschlafen, aber ich gehe davon aus, dass sie in den kommenden Stunden wieder aufwachen wird und es wäre gut, wenn eine vertraute Person da wäre. Wie es scheint, weiß sie nicht was passiert ist.«
Catharina glitt langsam das Telefon aus der Hand. Sie wurde ganz bleich und sie spürte wie ihr Herz sich

regelrecht überschlug, es machte mehrere Schläge in einem Schlag.

»Frau Manson, sind Sie noch dran?«

»Oh … ja, natürlich, entschuldigen Sie bitte, ich bin nur so überrumpelt von dieser tollen Neuigkeit. Ich werde mich sofort auf den Weg machen«, sagte Catharina und legte im Affekt auf.

Sie konnte sich kaum kontrollieren. Ihre Gedanken fuhren die wildeste und schnellste Achterbahn ihres Lebens. Sie war verwirrt und zugleich war sie der glücklichste Mensch auf der Welt.

Sie versuchte auf die Wahlwiederholung zu drücken um Ash nochmal anzurufen, aber sie war so aufgeregt, dass sie sich ständig vertippte.

»Okay, ganz ruhig Cath«, sagte sie zu sich selbst und versuchte sich zu sortieren.

Nachdem sie den Kampf mit ihrem Telefon gewonnen hatte, hinterließ sie Ash eine Nachricht auf der Mailbox.

»Komm sofort ins Krankenhaus«, war das einzige das sie sagen konnte.

Sie sprang in die Klamotten die sie vom Vortag liegen gelassen hatte und stürmte aus der Wohnung.

Noch immer dieselbe Wohnung, in der sie mit Nancy bis zu dem Unfall lebte. Nichts hatte sie verändert, denn irgendwann wollte sie genau dort mit Nancy weiter machen, wo sie aufgehört hatten.

Kapitel 40

14. Dezember, Im St. Vincent Krankenhaus

Catharina rannte vom Parkplatz in das Krankenhaus, als würde sie von Zombies gejagt werden, wich den unzähligen kranken Menschen mit ihren Rollstühlen, Gehstöcken und Rollatoren aus und stürmte zum Aufzug.

Nancy lag im vierten Stock.

Sie hämmerte auf den Aufzugknopf ein, als würde es dann schneller gehen. Es war zwar ein modernes Krankenhaus, aber sie hatten definitiv zu wenige Fahrstühle.

Catharina verlor nach fünf Sekunden warten die Geduld und setzte zum nächsten Sprint an, sie nahm zwei Stufen auf einmal und schaffte die vier Stockwerke in Rekordzeit.

Sie rannte am Schwesternzimmer vorbei, als in dem Moment Schwester Elisabeth heraus sprang.

»Frau Manson, hallo, meine Güte, so schnell haben wir gar nicht mit Ihnen gerechnet. Dr. Charlson war noch nicht bei Ihrer Lebensgefährtin, deswegen kann ich Ihnen leider noch nichts genaues sagen aber gehen Sie schon mal zu ihr, Dr. Charlson kommt sobald es ihm möglich ist.

Catharina konnte sich all das gar nicht merken, nickte nur und rannte weiter.

Kurz vor Nancys Zimmertür angekommen, klingelte Catharinas Telefon.
Sie überlegte ob sie ran gehen sollte … doch es war Ash also ging sie ran, ohne etwas zu sagen.
»Cath? Bist du dran?«
»Ja, sorry, ich bin im Krankenhaus, komm schnell her, bitte«, sagte sie kurz und knapp und legte wieder auf.
Denn sie wollte im Augenblick nichts mehr als zu Nancy. Von der sie nur noch durch diese grüne Zimmertür getrennt wurde.
Sie hielt die Luft an als sie die Klinke nach unten drückte und langsam die Tür öffnete. Zuerst steckte sie ihren Kopf in den Spalt, als müsste sie hinein spähen ob die Luft rein war, bevor sie es wagte hineinzugehen.
Sie blieb stehen und starrte Nancy an. Sie wartete auf eine Reaktion. Sie hatte so sehr gehofft, dass Nancy sie freudestrahlend empfangen würde und nur auf ihr Kommen gewartet hatte. Doch Nancy rührte sich nicht.
Ihre Augen waren geschlossen und ihr Brustkorb hob und senkte sich kaum wahrnehmbar. Sie lag genau so da, wie die letzten acht Monate auch.
Wohl aus diesem Grund machte sich etwas Wehmut in Catharina breit, obwohl sie eigentlich einfach nur glücklich sein sollte.
Sie ging langsam an Nancys Bett und legte ihre Hand auf Nancys und gab ihr einen Kuss auf die Stirn. Das tat sie täglich, bei jedem Besuch. Meistens erzählte sie ihr von ihrem Tag und wie sehr sie ihr fehlte oder sie ließ ihre Lieblingsmusik laufen.

Las aus ihren Lieblingsbüchern vor oder aus denen, die Nancy selbst zu schreiben begann, aber nie beendete. Sie hatte mal gelesen, dass Komapatienten es mitbekamen was um sie herum geschah aber mit Gewissheit konnte das keiner sagen aber Catharina gefiel der Gedanke, dass sie Nancy so an ihrem Leben weiterhin teilhaben lassen konnte und fühlte sich in diesen Momenten ein bisschen weniger alleine.
Jedes Mal hoffte sie auf eine Regung.
»Hey Nancy, ich bin's, Cath«, flüsterte sie ihr leise ins Ohr.
»Wach doch bitte auf.« Catharinas Augen füllten sich mit Tränen, sie blickte durch einen Schleier hindurch und beobachtete Nancys Gesicht und schickte ein Stoßgebet in den Himmel.
Sie war nicht gläubig, doch in den letzten Monaten hatte es ihr geholfen an etwas zu glauben.
Plötzlich ging die Tür auf und Ash stolperte beinahe hinein.
Sie sah aus, als wäre sie direkt ins Krankenhaus gejoggt.
Schweißperlen standen auf ihrer Stirn und ihre Haare formten ein zerrupftes Vogelnest.
»Cath, um Himmels Willen, was ist denn los? Wieso legst du einfach auf?« fragte Ash und blickte wild zwischen Nancy und Cath hin und her.
»Tut mir echt leid, ich war so aufgebracht. Sie war wach, Ash. Schwester Elisabeth rief mich kurz nach unserem Telefonat an und berichtete mir, dass Nancy

heute morgen wach war und mit ihr gesprochen hatte.«

»Bitte was? Oh mein Gott, das ist ja fantastisch«, kreischte Ash und warf sich um Catharinas Hals.

»Ja, nur jetzt reagiert sie wieder nicht mehr. Der Arzt war auch noch nicht da, ich weiß überhaupt nicht, was jetzt los ist.«

Catharina klang sichtlich enttäuscht und traurig. Die Freude über die Nachricht verflog allmählich.

»Cath, hör zu, es ist das Beste, nein, sogar das einzige Zeichen seit Monaten, wir haben keinen Grund nun traurig zu sein, sie wird bestimmt wieder aufwachen, sie muss sich bestimmt noch erholen.«

»Ja, du hast recht, lass uns abwarten was Dr. Charlson sagt aber ich werde hier nicht weggehen, ich will nicht noch einmal verpassen wenn sie wach wird, ich muss bei ihr sein.«

»Natürlich, das ist bestimmt kein Problem, vielleicht kannst du nach einem Zustellbett fragen?«

Catharina nickte und wand sich wieder zu Nancy. Noch immer hielt sie ihre Hand.

Eine Stunde später kam endlich Dr. Charlson ins Zimmer und begrüßte die beiden nur flüchtig. Er sah abgespannt und gestresst aus.

»Ich muss nun einige Untersuchungen durchführen, würden Sie hierfür bitte das Zimmer verlassen«, sagte er, ohne sich zu ihnen umzudrehen.

Wortlos gingen Ash und Catharina aus dem Raum.

»Komm, lass uns so lange in die Cafeteria gehen, vor der Tür stehen beschleunigt die Prozedur auch nicht«, sagte Ash und legte ihren Arm um Caths Schultern.
»Aber was ist wenn sie wach wird und ich nichts mitbekomme? Dann bin ich wieder nicht dabei. Wer weiß, was sie denkt, wenn sie immer von fremden Menschen umgeben ist, wenn sie die Augen öffnet?«
»Okay pass auf, ich sage der Schwester Bescheid, dass wir in die Cafeteria gehen und sie uns sofort anrufen soll, wenn sich etwas ändert, in Ordnung?«
Catharina überlegte kurz, willigte dann aber ein.

Kapitel 41

15. Dezember, Catharina im St. Vincent Krankenhaus

Catharina öffnete die Augen und ihr Blick richtete sich direkt auf Nancy. Wie friedlich sie da lag. Die ganze Nacht hielt sie ihre Hand. Die Schwester war so nett und ermöglichte es ihr, die Nacht bei Nancy zu verbringen.
Nachdem sie und Ash gestern aus der Cafeteria kamen, war Dr. Charlson schon wieder weg, aber die Schwester berichtete ihnen alles Wissenswerte. Es war damit zu rechnen, dass Nancy in den kommenden Tagen aufwachte. Sie musste nur warten und geduldig sein. Keine Sekunde würde sie von ihrer Seite weichen, das hatte sie sich fest vorgenommen.
»Guten Morgen, ich hoffe, du hast gut geschlafen, ich werde die ganze Zeit bei dir sein«, sagte Catharina zu Nancy.
Catharina rief zuerst Ash an, es war zwar erst sieben Uhr, aber Ash schaltete ihr Telefon nachts nicht aus.
»Hey, guten Morgen Cath, gibts was Neues?«
Ash klang noch verschlafen aber sie war immer in der Lage dazu, von jetzt auf gleich hellwach zu sein.
»Guten Morgen Ash, nein leider nicht. Ich wollte nur mal hören, ob du heute ins Krankenhaus kommst?«
»Sicher, ich bringe dir einen richtigen Kaffee mit, du klingst so als könntest du den gut gebrauchen.«

Catharina musste schmunzeln, für Ash war Kaffee die Lösung für alles.
»Gerne, danke, bis später Ash.«
Um acht Uhr kam immer der Arzt zur Visite, Catharina wartete angespannt und versuchte sich die Zeit mit unsinnigen YouTube Videos zu vertreiben. Immer mit einem Auge bei Nancy. Immer wieder meinte sie aus dem Augenwinkel eine Bewegung gesehen zu haben, aber wenn sie dann richtig hinsah, rührte Nancy sich nicht mehr.
In solchen Momenten glaubte Catharina manchmal, sie würde langsam verrückt werden, aber das Gehirn war in der Lage uns Streiche zu spielen.

8.30 Uhr, Dr. Charlson beendete die Visite mit den Worten: »tut mir leid Frau Manson, leider habe ich keine Neuigkeiten, bleiben Sie geduldig und lassen Sie uns wissen, sobald Ihnen etwas auffällt, ich werde später nochmal vorbei schauen.«
Catharina hatte sich mehr erhofft, auch wenn es seit gestern keine neuen Anzeichen gab.
Sie beschloss Ash zu schreiben, dass sie im Park auf sie wartete. Sie brauchte eine kurze Verschnaufpause von der Krankenhausluft.
Für Dezember war es außerordentlich warm und sonnig. Das Thermometer zeigte achtzehn Grad an und im Park war reger Menschenverkehr.
Ash kam mit zwei Kaffeebechern und einer Tüte auf Catharina zugelaufen.

»Hey, schau mal, eine große Portion Koffein und Frühstück für dich«, sagte sie strahlend. Sie strahlte oft mit der Sonne um die Wette. Denn obwohl sie nie so richtig zufrieden war, so zeigte sie das nie nach außen.
»Dich schickt der Himmel, vielen Dank Ash.«
»Und was gibt es Neues?« wollte Ash wissen und setzte sich zu Catharina auf die Parkbank, die die besten Zeiten hinter sich hatte. Einzelne Latten waren lose und die Rückenlehne war gebrochen.
Catharina starrte in den wolkenlosen Himmel und seufzte.
»Ach nichts, keine Veränderung. Ich weiß nicht, was die Schwester da gestern meinte gesehen oder gehört zu haben, aber seither gab es keinerlei Reaktion von Nancy.«
In einem Moment war Catharina überglücklich als sie von dem Fortschritt hörte und im nächsten Augenblick, zutiefst betrübt, weil sie zum einen nicht dabei war und sich zum anderen, nichts mehr tat.
Nancy musste doch spüren, dass sie da war.
»Lass den Kopf nicht hängen. Komm, wir gehen nach oben, wir wollen es ja nicht verpassen wenn Nancy strahlt, nachdem sie uns sieht«, witzelte Ash.
Ash hatte von Natur aus eine sehr aufbauende Art an sich. Sie konnte das sogar während sie selbst traurig war.

Kapitel 42

16. Dezember, Nancy

Nancy war es, als würde sie mit einem Kater aufwachen. Obwohl sie die Augen noch geschlossen hielt, fühlte es sich an, als würde sie auf einem Karussell liegen.

Ihre Augenlider waren unendlich schwer und es schien ihr unmöglich, auch nur einen Arm zu bewegen.

Sie konnte sich gar nicht erinnern, was gestern war und wie sie ins Bett kam. Und wo war Lea?

Langsam versuchte sie ihre Augen zu öffnen. Das Erste, das sie noch sehr unscharf erkannte, war ein kleiner Fernseher, der ihr gegenüber an der Wand hing.

Eine gelbe kahle Wand. Die sie so nicht kannte.

Gedanken rauschten durch ihren Kopf, zugleich hämmerte es in ihrem Kopf wie nach einer durchgemachten Nacht.

Sie wagte noch nicht sich zu bewegen, doch ihre Augen wanderten durch den Raum, dann blickte sie an sich herunter.

Definitiv Krankenhausbettwäsche, dachte sie irritiert.

In ihrem Gesicht musste ein großes Fragezeichen stehen. Nancy verstand nichts mehr.

»Lea, Lea wo bist du?« rief sie, so laut es ihr ihre Stimme erlaubte.

Sie klang sich selbst fremd.

Nancy lauschte ob sie eine Antwort bekam. Sie hörte nur das Rauschen in ihren Ohren, als die Tür, begleitet von leisem Gelächter, zu ihrem Zimmer aufging.

Ash und Catharina blieben wie angewurzelt stehen. Beide schauten Nancy mit offenen Mund an.
Nancy war mindestens genauso geschockt.
»Was zum Teufel macht ihr hier?« war das erste, das Nancy ihnen entgegen schrie. Dabei war die viel wichtigere Frage, wie sie in dieses Krankenhaus kam und wo Lea war.
Catharina war den Tränen nahe. Sie hatte sich diesen Moment in ihren Tagträumen absolut anders ausgemalt. Es traf sie, dass Nancy so reagierte. Sie hatte sich doch nichts sehnlicher gewünscht, als das beide wieder in ihr altes Leben zurückkehren.
»Nancy, was ist los? Ich bin's Cath, deine Cath«, sagte Catharina, deren Wange schon ganz nass war.
Nancy glaubte in einem Albtraum gefangen zu sein.
»Was? Erst haust du ab und dann kommst du mir so? Und du Ash, was willst du hier? Ihr seit die letzten beiden Menschen die ich im Augenblick sehen möchte, haut ab« …

Ash nahm Catharina am Arm und zerrte sie aus dem Zimmer.
So aufgelöst hatte sie Catharina nicht mal nach dem Unfall erlebt.

Sie zerrte sie zu einem Stuhl und kniete sich vor sie hin.
»Beruhige dich Cath, sie ist bestimmt verwirrt. Überleg mal wie lange sie im Koma lag. Sie weiß bestimmt nicht was sie da redet, das wird schon wieder. Sie ist wieder wach, das ist erstmal das Wichtigste.«
Catharina erwiderte nichts, sie schluchzte in sich hinein und starrte den Boden zwischen ihren Füßen an.
Schwester Elisabeth kam gerade auf sie zugelaufen.
»Was ist nur passiert Frau Manson?« erkundigte sie sich, wild zwischen ihnen hin und her blickend.
Ash stand auf und ging mit der Schwester ein Stück den Flur entlang und erzählte ihr was soeben geschehen war.
Schwester Elisabeth rannte wortlos ins Schwesternzimmer und verschwand darin. Kurz darauf kam Dr. Charlson angerannt und Schwester Elisabeth schloss sich seinem Lauftakt an.
»Bleiben Sie bitte draußen«, sagte Dr. Charlson, bevor er in Nancys Zimmer verschwand.
Catharina rannte aus dem Krankenhaus, gefolgt von Ash….

Kapitel 43

16. Dezember, Dr. Charlson

»Frau Roberts, ich bin ihr behandelnder Arzt Dr. Charlson. Wie geht es Ihnen?« fragte er, während er an ihr Bett kam, gefolgt von der Schwester, an die sich Nancy noch erinnern konnte.

»Ich weiß nicht, müde und verwirrt. Wieso bin ich hier? Wieso wurden Catharina und Ash zu mir gelassen? Können Sie bitte meine Freundin Lea anrufen?«

Nancys Stimme klang weinerlich, es war alles zu viel für sie. Ihr Gehirn konnte diese Flut nicht verarbeiten.

Dr. Charlson nahm sich einen Stuhl und setzte sich neben das Bett.

»Frau Roberts, ich verstehe, dass Sie durcheinander sind. Ich werde versuchen, Ihnen der Reihe nach alles zu erzählen. Sie lagen nun fast acht Monate im Koma. Sie hatten im April einen schweren Unfall.

Entschuldigen Sie, Sie wissen wahrscheinlich gar nicht welches Datum wir haben. Heute ist der 16. Dezember 2021.«

Nancy versuchte alles was der Doktor sagte aufzunehmen und zu verarbeiten. Es strengte sie unglaublich an ihm zu folgen. Denn ihre Erinnerungen passten nicht überein.

»Nun, Sie hatten großes Glück. Wir konnten nicht einschätzen ob Sie jemals wieder zu sich kommen und noch weniger wussten wir, in welchem Zustand sie wären. Wir haben sie nach Ihrer Einlieferung operiert und danach in ein künstliches Koma gelegt, so hatten Sie die besten Chancen, diese schweren Verletzungen zu überstehen.«

Nancy verstand immer noch nicht wirklich was los war und wie es sein konnte, dass sie hier anscheinend seit acht Monaten lag und zugleich ein neues Leben mit neuem Job und neuer Partnerin führte.

»Was hatte ich denn für einen Unfall?« fragte Nancy, kaum hörbar.

»Sie sind mit dem Stadtbus in die Innenstadt gefahren und dabei kam es an einer Kreuzung zu einer großen Karambolage, da jemand eine rote Ampel übersah. Dabei wurde der Bus in dem Sie saßen von einem LKW getroffen der ausweichen wollte. Genauer können Ihnen das bestimmt ihre Freundin und Ihre Lebensgefährtin erklären.«

Nancys Gesicht wurde heiß und die pure Wut stieg in ihr auf.

»Das ist nicht meine Freundin und auch nicht meine Lebensgefährtin. Das ist Lea, die Sie jetzt bitte anrufen möchten!« ... Nancy war außer sich und sie hatte nicht vor sich zu beruhigen, ehe Lea nicht angerufen wurde.

Dr. Charlson schaute zwischen Nancy und Schwester Elisabeth hin und her und wusste nicht so recht, wie er reagieren sollte.

»Frau Roberts, mir ist von einer Dame namens Lea nichts bekannt. Ihnen Schwester Elisabeth?« er blickte hinter sich.

»Nein Doktor, mir auch nicht. Aber gerne kann ich sie anrufen, haben Sie mir Kontaktdaten von Lea, Frau Roberts?«

Schwester Elisabeth stand schon bereit mit Block und Stift.

Nancy schaute verwirrt drein. Hieße das, dass Lea niemals hier war?

Natürlich kannte Nancy Leas Nummer nicht auswendig, niemand tat das heut zu tage mehr.

»Wo ist mein Telefon?« fragte Nancy.

»Oh, warten Sie, ich hole es. Wir haben es Ihnen in den Schrank gelegt«, sagte Schwester Elisabeth und setzte sich sofort in Bewegung.

»Frau Roberts, woran können Sie sich denn zuletzt erinnern?« wollte Dr. Charlson wissen.

Nancy schaute rechts oben in die Ecke, wie es die meisten Menschen taten wenn sie in ihrem Kopf nach etwas kramten.

»Das letzte woran ich mich erinnere ist, dass ich mit Lea unterwegs war.«

Mittlerweile sagte Nancy das sehr verunsichert, denn sie wusste nicht mehr, was real war.

»Hmmm … also es ist nicht ungewöhnlich, dass Menschen, die nach einem Schädelhirntrauma im Koma lagen, danach einen Verlust des Gedächtnisses beklagten. Machen Sie sich darüber keine Sorgen.

Oftmals kamen die Erinnerungen nach und nach wieder, Sie müssen nur Geduld haben. Jetzt ruhen Sie sich erstmal aus und in den kommenden Tagen werden wir noch ein paar Untersuchungen machen. Schwester Elisabeth kümmert sich um alles Weite.«
Nancy nickte. Die letzten Worte von Dr. Charlson machten ihre Lage nicht besser. Denn sie konnte sich doch erinnern, es kam ihr vor, als wäre es erst vor einigen Tagen gewesen.

Schwester Elisabeth stand schon mit Nancys Telefon am Bett und streckte es ihr hin. »Wir haben es ausgeschaltet, ich stecke es Ihnen an den Strom, dann können Sie in Ruhe schauen, sobald Sie sich dazu in der Lage fühlen und ich schaue immer wieder nach Ihnen, sobald Sie mir die Nummer geben, werde ich Lea kontaktieren. Drücken Sie einfach auf diesen Knopf, dann komme ich«, sagte Schwester Elisabeth und schenkte ihr ein aufmunterndes Lächeln.

Kapitel 44

16. Dezember, Ashley und Catharina im Park des Krankenhauses

Catharina rannte so schnell aus dem Krankenhaus, dass sie in ihrem Sprint und dem Schleier vor den Augen, eine ältere Dame im Rollstuhl beinahe übersah. Sie stürmte heraus, sprang mehrere Stufen hinunter und rannte sich fast die Seele aus dem Leib. Sie rannte bis ihre Lunge so sehr schmerzte, dass jeder Atemzug einem Stich glich.

Sie lies sich auf eine Bank nieder und konnte ihre Tränen nicht mehr halten. Glück und Leid konnten so verflucht nah beieinander liegen.

Ash versuchte Cath zwar einzuholen aber sie scheiterte und so kam sie erst bei ihr an, als diese schon ihr Gesicht tief in ihren Händen vergraben hatte und hemmungslos schluchzte.

»Cath, hey, ich weiß wie dir zumute ist, aber lass ihr Zeit. Wir wissen nicht warum sie so reagiert hat, aber wir werden es herausfinden und es wird alles wieder gut werden«, versuchte Ash sie zu trösten, auch wenn ihr klar war, dass kein Wort der Welt, Caths Welt wieder zurecht rücken konnte. Diese Macht besaß alleine Nancy.

»Nichts wird wieder gut. Acht Monate habe ich täglich gebetet und gehofft, dass Nancy wieder aufwacht und

diesen Tag regelrecht an den Haaren herbeigezogen und jetzt … «, wieder brach Cath in Tränen aus.
Ash fielen keine passenden Worte mehr ein und manchmal half eine Umarmung mehr als jedes Wort. So setzte sie sich neben sie und hielt sie ganz fest im Arm.

Kapitel 45

Nancy

Nancy nahm ihr Telefon und schaltete es ein. Kaum war es wieder am Netz, kamen so viele Mails, Nachrichten und verpasste Anrufe herein, dass es sich kurzzeitig aufhängte.

Nancy ignorierte erstmal alles und schaute in ihre Walhwiederholungsliste.

Kein Anruf an Lea oder von Lea? Das war unmöglich. Sie durchforstete ihr gesamtes Telefonbuch. Nichts. Ihre Hand begann zu zittern und sie war den Tränen nahe. Sie fühlte sich wie in einem Film, in einem schlechten Film.

Sie scrollte durch ihre Nachrichten … nichts von Lea oder alte Nachrichten an Lea, dabei löschte sie nie ihren Verlauf. Stattdessen war da ein Verlauf von Catharina und von Ashley. Kurios. Sie hatte doch eine neue Nummer und kaum jemand hatte die Nummer, wie konnte das sein.

Ihr wurde regelrecht schlecht als sie den Verlauf von Catharina und ihr las.

Keine unheimlichen Nachrichten oder dergleichen, sondern Liebesbotschaften. Beinahe täglich.

Die einzige, für Nancy logische Erklärung war, dass sie träumte. Sie musste in einem Traum gefangen sein und wenn sie wieder aufwachen würde, würde Lea an ihrem Bett stehen. Oder doch nicht? …

Eine Welt schien zusammenzubrechen. Sie starrte an die Decke, damit die Tränen in ihren Augen nicht nach außen kamen.

Schwester Elisabeth trat ein.
»Frau Roberts, ich wollte kurz nach Ihnen schauen. Brauchen Sie etwas?«
Nancy starrte sie an.
Wie in Trance sagte sie: »es gibt keine Nummer von Lea« und konnte ihre Tränen nun nicht mehr zurück halten.
Schwester Elisabeth ging an ihr Bett, legte ihre Hand auf die ihre und sagte: »Frau Roberts, nur mit der Ruhe. Machen Sie sich selbst keinen Druck. Nach einem so schweren Trauma und Koma, kommt es oft vor, dass Patienten Erinnerungslücken haben oder glauben sich an etwas zu erinnern, dass nicht real ist. Es wird sich alles legen. Vielleicht können Ihnen Ihre Freundinnen helfen?«
Sollte Lea nicht real gewesen sein? Sollte alles, woran sie sich im Augenblick erinnern konnte, ein Fake ihres Gedächtnisses sein?
Es überstieg ihre Vorstellungskraft.
»Können Sie bitte Ashley und Catharina herein bitten« ,sagte Nancy während sie aus dem Fenster sah und die schwarzen, vorbeiziehenden Wolken betrachtete. Die Wolken am Himmel waren so schwarz, wie es in ihrem Kopf war. Benebelt und düster.

»Aber selbstverständlich Frau Roberts, ich rufe Ihre Lebensgefährtin sofort an«, sagte Schwester Elisabeth und verlies das Zimmer.

Kapitel 46

Ashley und Catharina

Sie mussten eine halbe Ewigkeit so dagesessen haben. Keine von ihnen sagte eine Wort. Cath hatte sich wie ein kleines Kind in Ashs Arme gerollt, als sie durch das Klingeln ihres Telefons aufschreckte.

»Hallo?«

«Hallo Frau Manson, Schwester Elisabeth hier. Frau Roberts wünscht sich, sie beide zu sehen.«

Stille trat ein.

»Frau Manson, können Sie mich hören?«

Cath blickte zu Ash, Ash schaute sie mit großen Augen fragend an.

»Ja, entschuldigen Sie, wir kommen sofort, danke.«

»Was ist los?« wollte Ash wissen.

»Wir sollen zu Nancy, sie möchte uns sehen.« Caths Gesicht machte dem weißen Arztkittel Konkurrenz.

»Das ist doch super, ich habe es dir doch gesagt, los komm.«

Ash schnappte Cath an der Hand und zog sie hinter sich her.

Sie war deutlich euphorischer als Cath.

Caths Magen zog sich zusammen, ihr war schlecht und sie fühlte sich schwach.

Ja, sie hatte Angst. Angst vor dem was sie nun wieder erwartetet. Viele Kraftreserven hatte sie nach den letzten Monaten nicht mehr, sie wünschte sich nichts sehnlicher, als die Erlösung von diesen Qualen. Einen Funken Glück und die Liebe ihres Lebens wieder zurück. Alles andere hatte an Bedeutung verloren.

Kapitel 47

Ashley, Catharina und Nancy

Nancy schaute unentwegt zur Tür, es kam ihr vor wie eine Ewigkeit. Diese ganze Ungewissheit zerfraß sie sekündlich immer mehr.

Sie versuchte sich abzulenken und fing an, die unendlichen Mails anzuschauen. Das meiste war Spam, weswegen sie kaum etwas lesen musste.

Dann fiel ihr die dubiose Mail ein, die von der Mailadresse mit der Zahlenfolge geschickt wurde.

Hastig begann sie ihr Postfach zu durchsuchen. Es flammte ein kurzer Hoffnungsschimmer auf. Alleine diese Mail wäre der Beweis dafür, dass sie nicht verrückt geworden war.

Wieder nichts, nicht im Posteingang, nicht bei den gelesenen und auch nicht bei den gelöschten Mails. Als hätte sie nie existiert.

Auch dieser Hoffnungsfunke erlosch.

Catharina blieb abrupt vor der Zimmertür stehen. Die Angst und Nervosität lies ihre Gliedmaßen gefrieren.

Ash legte ihre Hand auf Catharinas Schulter. »Komm, lass uns reingehen« ….

Ash ging voraus und musste sich größte Mühe geben, selbst die Fassung nicht zu verlieren. Sie musste stark sein, für Cath und für Nancy.

»Hallo Nancy, dürfen wir rein kommen?« fragte Ash mit dem Kopf in der Tür.

Nancy nickte.

»Setzt euch«, sagte Nancy und richtete ihren Blick starr auf Catharina.

Catharina zitterte innerlich. Sie hatte das Gefühl, ihren Körper nicht kontrollieren zu können. Sie nahm den Stuhl der weiter weg stand, sie fühlte sich plötzlich unwohl in Nancys Nähe.

»Vielleicht sollte ich mich bei euch entschuldigen aber ehrlich gesagt, nach meinen letzten Erinnerungen habt ihr das beide überhaupt nicht verdient und doch muss ich von euch hören, was passiert ist. Cath, erzähl mir, wieso du gegangen bist?«

Nicht schon wieder, dachte sich Cath. Wieso nur, dachte Nancy sowas.

Doch sie hatte sich vorgenommen, es nochmal in Ruhe zu versuchen.

Cath blickte zu Nancy auf, schaute ihr fest in die Augen.

»Nancy, ich bin nie gegangen. Ich weiß wirklich nicht, wie du darauf kommst. Wir waren zusammen bis zu deinem Unfall und auch danach war ich täglich bei dir. Es gab nicht einen Tag, an dem ich nicht bei dir war. Ash genauso. Selbst Jeff war regelmäßig zu Besuch.«

Catharina legte eine Pause ein.

»Jeff, an den habe ich noch gar nicht gedacht. Wie geht es ihm?« fragte Nancy.

»Es geht ihm soweit gut. Er fragt täglich nach deinem Zustand und ansonsten, na du kennst ihn ja, er arbeitet sehr viel aber mittlerweile nimmt er sich auch mehr Zeit für seine kleine Familie«, antwortet Ash.
Für Nancy passte gerade etwas nicht zusammen. Doch was war es nur … angestrengt dachte sie nochmal über Ashleys Worte nach.
»Wie meinst du das mit seiner Familie?« fragte Nancy.
Ash musste erst kurz darüber nachdenken, die Frage verunsicherte sie, doch klar, Jeffs Tochter war mittlerweile fast zwei Jahre alt, also kannte Nancy sie natürlich.
»Ich meine seine Frau Kate und seine Tochter Mia, du kennst doch beide« …
»Aber … die beiden leben doch gar nicht mehr?« flüsterte Nancy, mehr zu sich selbst als zu Ash.
»Wie kommst du darauf? Den beiden geht es gut. Kate hilft immer wieder in Jeffs Bar aus und soweit ich weiß, sind die beiden mit ihrer Familie so glücklich wie nie.«
Ash war mindestens genauso durcheinander wie Nancy. Beide schauten drein als würde die jeweils andere eine andere Sprache sprechen.
»Aber wie kann das sein?«
»Nancy, ich denke, dass deine Erinnerungen nicht wahr sind, vielleicht ist da was durcheinander geraten oder du hattest eine Art Traum. Keine Ahnung ob das im Koma möglich ist, aber es wäre doch denkbar.

Genauso wenig wie Cath oder ich weg sind genau so wenig ist Jeff, Mia oder Kate jemals etwas zugestoßen.« Ash versuchte langsam und eindringlich mit Nancy zu sprechen.
Catharina beobachtete jede Gestik und Mimik von Nancy.
Nancy tat dasselbe und Cath kam ihr wieder so vertraut vor und doch war sie sich nicht sicher, ob sie sich selbst oder Ash und Cath trauen sollte.
»Nancy, erzähl uns doch bitte woran du dich erinnerst, so genau wie möglich«, sagte Cath und überlegte dabei kurz, ob sie ihre Hand auf Nancys legen sollte. Doch den Gedanken verwarf sie schnell wieder, es fühlte sich nicht richtig an obwohl sie es so sehr wollte.
Nancy versuchte in ihrem Kopf alle Geschehnisse zu sortieren und begann zu erzählen.
Sie erzählte wie Cath plötzlich weg war und irgendwann auch Ash. Sie berichtete vom Café und von Lucy und wie ihrer Meinung nach Jeffs Frau und Tochter starben. Zum Schluss erwähnte sie auch Lea, wobei sie sich dabei fühlte, als würde sie nur schon beim Erzählen Catharina hintergehen.

Ash und Cath unterbrachen Nancy nicht. Sie ließen sie alles zu Ende erzählen. Als Nancy von Lea berichtete, fiel es Cath merklich schwer es sich anzuhören. Nancys Worte legten sich schwer auf Caths Brust.

Als Nancy fertig war, war es für Cath unmöglich etwas zu sagen. Sie hatte einen Kloß in ihrem Hals und ihre Augen füllten sich wieder einmal mit Tränen.

Ash war die erste die ihre Stimme wieder fand.

»Danke, dass du uns alles erzählt hast. Wenn es für dich okay ist, würden wir das dem Arzt weitergeben, vielleicht kann er uns all das erklären denn sicher ist, von alledem ist nie etwas passiert Nancy.« Während Ash das sagte, wagte sie es, sich zu Nancy aufs Bett zu setzten.

Nancy schien beschwichtigt aber durcheinander, was kein Wunder war.

Ihr Leben stand nun bestimmt Kopf und es musste schrecklich sein, wenn die eigenen Erinnerungen nicht mit der Realität zusammen passten.

»Vielleicht ist es besser, wenn ihr jetzt geht«, sagte Nancy und schloss die Augen.

Kapitel 48

Ashley, Catharina und Dr. Charlson

Ash nahm Cath an der Hand und sie verließen Nancys Zimmer. Cath war verstummt, nur ein paar einzelne Tränen kullerten ihr über die Wange.
»Komm, wir gehen zu Schwester Elisabeth und fragen nach Dr. Charlson, wir müssen mit ihm darüber reden«, sagte Ash bestimmt und setzte sich zielstrebig in Bewegung.

»Schwester Elisabeth, könnten wir bitte mit Dr. Charlson sprechen?« fragte Ash.
Schwester Elisabeth stand gerade mit Schwester Dorothea vor dem Zimmer der Schwestern.
»Ja natürlich, ich piepe ihn an. Warten Sie bitte hier so lange.«
»In Ordnung, danke schön.«
Ash und Cath setzten sich auf die Stühle neben der Zimmertür, beide schwiegen. Keine wagte es mehr irgendwelche Mutmaßungen von sich zu geben. Cath weinte stumm in sich hinein, während Ash in ihren Gedanken ein Selbstgespräch führte um sich zu beruhigen.
Es verging fast eine Stunde bis sie Dr. Charlson auf dem Flur, auf sich zukommen, sahen.
»Frau Manson, Frau Brown, folgen Sie mir bitte in mein Büro.«

Zwei Flure weiter traten sie in Dr. Charlsons Büro ein. Es sah chaotisch auf seinem Schreibtisch aus und er wirkte sehr übermüdet.

»Was kann ich für Sie tun?« fragte Dr. Charlson, während er im Computer die Akte von Nancy suchte.

Ash blickte hinüber zu Catharina, doch sie machte nicht den Anschein als würde sie etwas sagen wollen, also übernahm sie das Wort.

»Wir möchten mit Ihnen über die Erinnerungen von Frau Roberts sprechen« …

Dr. Charlson unterbrach sie.

»Frau Brown, ich verstehe, dass es sie sehr beunruhigt aber es sind in dem Sinne keine Erinnerungen. Komapatienten träumen.

Bei den meisten Komapatienten sind es regelrechte Albträume, die sie auch danach noch verfolgen. Es ist also überhaupt nichts außergewöhnliches, dass Frau Roberts für sie absurde Sachen erzählt. Sie kann es nur einfach noch nicht richtig einordnen, ihr ist noch nicht bewusst, dass das Träume waren. Hinzukommt, dass der Körper die Medikamente erst noch abbauen muss, auch dass kann zu Verwirrtheit führen, genauso wie zu Kreislaufbeschwerden und verstärktem schwitzen.«

»Und wird sie irgendwann alles verstehen können?« fragte Catharina flüsternd.

»Nun, in der Regel ja. Wir haben noch nicht alle Untersuchungen durch, wir wissen noch nicht in welchem Zustand ihr Gehirn tatsächlich ist, aber die meisten Patienten die aufwachen und noch sprechen und sich bewegen können, genesen auch wieder vollständig.«

Der Stein der von Ashleys und Catharinas Herzen fiel war regelrecht hörbar.

»Danke Dr. Charlson, auf Wiedersehen.«

Ash und Cath gingen wieder auf den Flur hinaus.

»Lass uns nach Hause gehen«, sagte Cath.

Kapitel 49

17. Dezember, Nancy

Nancy fühlte sich immer noch müde, doch sie wurde von Schwester Elisabeth geweckt, da heute die Untersuchungen starten sollten.
»Schwester, wann kann ich nach Hause gehen?« fragte Nancy.
»Oh, das kann ich Ihnen nicht sagen Frau Roberts. Das entscheidet Dr. Charlson und es wird sicherlich von den Untersuchungsergebnissen abhängen.«
Nach Hause, ja sie wollte dieses Krankenzimmer endlich verlassen, aber wo war ihr zuhause? Wenn das alles nie passiert war, wo wohnte sie dann? Bei Catharina? In ihrem alten Zuhause? Selbst das wusste sie nicht.
Heute war sie nicht mehr wütend. Nicht auf Catharina und nicht auf Ash. Auch wenn es ihr immer noch schwer fiel zu glauben, dass das alles nur Träume, Einbildung oder sonst was waren. Sie hatte noch so viele Fragen und heute fühlte sie sich deutlich besser als gestern und hatte mehr Kraft, darum nahm sie sich vor, nach den Untersuchungen Cath anzurufen.

Kapitel 50

17. Dezember, Catharina

Ashley hatte Catharina noch nach Hause begleitet. Sie wollte die Nacht bei ihr bleiben doch Cath wollte nur alleine sein. Alleine, damit sie nachdenken konnte.
Sie hatte sich gestern Abend aufs Sofa gelegt, in alten Bildern von Nancy und ihr gestöbert und ist in Erinnerungen, als noch alles gut war, versunken. Nach drei Weingläsern und einer Mischung aus Trauer und Freude, schlief sie auf dem Sofa ein.

Es war noch finster als sie aufwachte. Sie tastete nach ihrem Telefon. 7.26 Uhr. Sie fühlte sich seit Ewigkeiten nicht mehr richtig ausgeschlafen. Was auch kein Wunder war, sie schlief selten durch. Meistens wurde sie wach, weil sie im Schlaf weinte.
Die Worte von Dr. Charlson halfen ihr. Sie gaben ihr wieder ein bisschen Mut und Hoffnung zurück.

Um nicht wieder in trüben Gedanken zu versinken, nahm sie sich vor, heute die Wohnung auf Vordermann zu bringen. Vielleicht durfte Nancy an Weihnachten ja nach Hause.
Wenn sie das überhaupt wollte, kam ihr direkt in den Sinn.

Andererseits hatte sie nur sie und Ash. Mit ihren Eltern hatte sie schon lange keinen Kontakt mehr, auch haben sie sie in den ganzen Monaten nicht ein Mal besucht.
Jeff würde sicherlich mit seiner Familie feiern wollen, also musste Nancy, wenn sie nicht alleine sein wollte, zu einer von ihnen.
Nachdem Catharina alle Räume geputzt hatte, wollte sie noch los und ein bisschen Weihnachtsdekoration besorgen. Die letzten Jahre hatten Nancy und Catharina Weihnachten immer im Süden verbracht, weswegen sie nichts da hatten um die Wohnung ein wenig zu schmücken.
Draußen schneite es seit letzter Nacht ununterbrochen und es hatte sich schon eine wunderschöne Schneedecke gebildet.
Catharina warf sich einen Schal um, der fast ihr ganzes Gesicht bedeckte, als ihr Telefon klingelte, das sie dummerweise schon tief in ihrer Jacke verstaut hatte.
Sie war so dick eingepackt, dass sie beim wühlen nach dem Telefon einen Schweißausbruch erlitt.
Ohne aufs Display zu schauen ging sie dran.
»Ja, hallo?« …
»Hallooo?« Cath schaute auf das Display um sich zu vergewissern, dass sie nicht aus versehen aufgelegt anstatt angenommen hatte, dabei sah sie, dass der Anruf von Nancy kam.
Ihr Herz tat einen heftigen Schlag.
»Nancy?«
»Ja, hallo Cath, ich bin's«

»Schön, dass du anrufst. Wie geht es dir, brauchst du was?«

»Ja, wäre es möglich, dass du heute nochmal zu mir kommst? … ich hätte noch ein paar Fragen, die mir keine Ruhe lassen« …

Es kostete Nancy viel Überwindung und doch kam allmählich das Gefühl zurück, dass Cath ihre Freundin war.

Catharina hätte vor Freude an die Decke gehen können, doch sie bemühte sich, die Fassung zu behalten.

»Aber sicher doch. Ich könnte in einer halben Stunde bei dir sein?"

»Super, danke, dann bis gleich.«

Nancy wollte sich heute auch noch bei Jeff melden und bei ihren Eltern, doch es war für sie immer noch alles sehr anstrengend, sie wollte sich die Kraft noch aufsparen für das Gespräch mit Catharina.

Catharina steckte ihr Telefon ein, ihr Grinsen konnte sie kaum verbergen, auch wenn sie wusste, dass es zu früh war, um sich so dermaßen zu freuen aber sie spürte, dass sie auf dem richtigen Weg waren.

Sie rannte aus dem Haus zur nächsten S-Bahn Station, die nur fünf Gehminuten entfernt war.

Kapitel 51

Catharina und Nancy im St. Vincent Krankenhaus

Fünfundzwanzig Minuten später war Catharina auch schon da. Sie war aufgeregt wie bei einem ersten Date. Es fühlt sich nicht so an, als hätten sie schon zwölf Jahre miteinander verbracht.
Durch diese abstruse Situation fühlte es sich befremdlich an.
Catharina trat ein und Nancy saß schon wartend im Bett.
»Hallo, danke, dass du so schnell gekommen bist.« Nancy wollte freundlich klingen, denn wenn es so war, wie Ash und Cath es sagten, dann war sie die Letzte die einen Grund hatte, gemein zu ihnen zu sein und wenn sie ganz ehrlich zu sich selbst war, waren da bestimmt noch Gefühle für Catharina.
»Natürlich, wenn ich dir helfen kann, dann tu ich das immer, das haben wir uns mal versprochen«, fügte Catharina hinzu, obwohl sie sich unsicher war, ob es ein guter Zeitpunkt war so etwas zu sagen, schließlich wollte sie Nancy auf keinen Fall bedrängen. Es brauchte Zeit, aber sie würde nicht aufgeben.
Nancy huschte zum ersten Mal ein kleines Lächeln über die Lippen. Sie begutachtete Catharina regelrecht. Je länger sie sie anschaute, desto näher fühlte sie sich ihr.

»Ich habe ein paar Fragen an dich, die mir helfen könnten das Wirrwarr in meinem Kopf zu sortieren.«

»Schieß los«, entgegnete Catharina und nahm sich den Stuhl neben Nancys Bett. Sie hatte das Bedürfnis näher bei ihr zu sein, doch sie wusste nicht, wie nah sie an sie heran durfte.

»Okay, gibt es ein Café namens Schreiberling in der Vierten Straße?«

Catharina dachte nach. Sie kannte die Vierte Straße gut, konnte sich aber nicht daran erinnern ein solches Café dort gesehen zu haben.

»Nein, ich denke nicht, zumindest kenne ich es nicht« …

»Hm … aber Jeff führt doch eine Bar, nicht wahr?«

»Ja, die Jackson Bar, in der waren wir regelmäßig«, Catharina beugte sich näher zu Nancy.

Nancy wühlte in ihrem Kopf nach weiteren Fragen. Sie hatte so viele und doch fielen sie ihr nicht mehr alle ein.

»Was ist mit meinen Eltern, wissen sie, dass ich hier bin?«

Catharina ahnte schon, dass eine Frage in die Richtung kommen würde und sie hatte Angst davor gehabt.

»Nun, ich habe ihnen Bescheid gegeben, zwei Tage nach deinem Unfall, vorher war ich dazu einfach nicht in der Lage. Aber sie sind nie hier gewesen und haben sich auch nicht nach dir erkundigt. Ich weiß nicht, woran du dich genau erinnerst aber du hattest zu ihnen kein gutes Verhältnis, deine Mutter mochte mich noch nie und so hast du dich immer weiter von ihnen entfernt.«

Diese Information traf Nancy wie ein Schlag ins Gesicht. Sie wusste, dass sie nie die besten Freunde waren und es noch nie leicht mit ihr und ihren Eltern war, aber dass es so schlimm war, das wusste sie tatsächlich nicht mehr.

Catharina bemerkte die Traurigkeit in Nancys Gesicht und aus einem Reflex heraus legte sie ihre Hand auf Nancys, nur um sie dann sofort wieder zurück zu nehmen, vor Angst.

»Es ist okay, gib mir deine Hand«, sagte Nancy lächelnd.

Für Catharina war es pure Freude. Sie strahlte bis über beide Ohren und nahm Nancys Hand in ihre.

Beflügelt davon sagte Catharina: «es fühlt sich verdammt gut an.«

Nancy erwiderte ihr Lächeln und als Antwort drückte sie ihre Hand ein bisschen fester.

»Eine Frage hätte ich noch, auch wenn es mir schwer fällt sie zu stellen.« Nancy blickte nun nach unten und rang um Worte.

»Frag alles was du möchtest«, ermutigte Catharina sie.

»Waren wir glücklich?« Als Nancy diese Worte heraus brachte, stiegen gleichzeitig Tränen in ihre Augen auf.

Auch Catharina hatte Mühe ihre Emotionen zu kontrollieren.

»Ja, ja das waren wir wirklich. In den zwölf Jahren waren wir fast nie auch nur einen Tag getrennt.

Wir haben beide in unserer Arbeit unsere Bestimmung gefunden und teilten unser Glück miteinander. Es ging uns gut, sehr gut sogar.«

Nancy wusste nicht ob sie lachen oder weinen sollte.

»Arbeit, was habe ich denn gearbeitet? Soweit ich weiß, habe ich mich als Autorin versucht und bin kläglich gescheitert.«

Catharina machte große Augen. In Nancys Gedächtnis musste wirklich einiges durcheinander geraten sein.

»Wie kommst du nur darauf? Du hast dich als Autorin versucht, das stimmt aber du bist definitiv nicht kläglich gescheitert. Du bist überhaupt nicht gescheitert, dein erstes Buch wurde sofort zu einem Bestseller.«

Jetzt weinte Nancy, weil ihre Gefühle sie übermannten. Auch Catharina knickte nun ein und war nicht mehr zu halten.

»Meinst du das ernst?« fragte Nancy halb weinend, halb lachend.

Nun setzte sich Catharina zu Nancy ins Bett.

»Ja, absolut. Du hast Buchvorlesungen in Buchläden gegeben. Deine Fangemeinde wuchs täglich. Besser gesagt, sie wächst noch immer täglich.«

Nancy brauchte eine Weile bis sie verdaut hatte, was Catharina sagte.

»Ich kann es kaum glauben, Cath.«

»Siehst du, nichts ist so wie es dir schien. Ash und ich haben dir die ganze Zeit die Wahrheit gesagt, das musst du uns glauben. Ich verstehe, dass es für dich unendlich schwer sein muss aber glaube mir, ich liebe dich. Ich liebte dich vor dem Unfall, ich liebte dich all die Monate in denen ich wartete, dass du wieder aufwachst und auch jetzt.«

Nancy weinte nun hemmungslos. Es waren zu viele Informationen und zu viele Gefühle, mehr als sie gerade ertragen konnte.

Catharina nahm sie in den Arm und hielt sie so fest sie nur konnte. Am liebsten würde sie sie nie wieder loslassen.

So lagen sie sich minutenlang in den Armen bis Nancy sich aus ihrer Umarmung befreite.

»Dr. Charlson war heute morgen bei mir und er erzählte mir, was er gestern mit euch besprochen hatte. Ich habe einfach nur geträumt und konnte danach die Realität von meinen Träumen nicht unterscheiden.«

»Es wird sich alles wieder legen und vielleicht kommt auch deine Erinnerung wieder, mach dir kein Stress, zusammen schaffen wir das«, sagte Catharina und drückte Nancy nochmal an sich.

»Danke, dass du da bist, kannst du noch bleiben?«

»Sicher, so lange du möchtest!«

Kapitel 52

17. Dezember, Dr. Charlson

Dr. Charlson kam in Nancys Zimmer mit einem Klemmbrett unterm Arm.
»Hallo Frau Roberts, wie geht es Ihnen?« frage er, während er den Blick auf die Unterlagen auf dem Klemmbrett gerichtet hatte. Kurz blickte er auf.
»Schon besser, denke ich«, sagte Nancy. In ihrer Stimme hörte man deutlich, wie unsicher sie noch in allem und mit allem war.
»Das freut mich, Frau Roberts. Anhand der Untersuchungsergebnisse spricht nichts dagegen, dass Sie bis Weihnachten nach Hause dürfen. Ich denke, spätestens in zwei bis drei Tagen werden wir Sie entlassen, vorausgesetzt, Ihr Zustand bleibt weiterhin so stabil.«
Catharina freute sich so sehr, dass sie Nancys Hand ein wenig zu sehr drückte.
»Können Sie mir sagen, wann meine ganze Erinnerung wieder kommt? Es macht mich verrückt, mich nicht richtig erinnern zu können«, fragte Nancy, hoffnungsvoll.
Mit gerunzelter Stirn blickte sie Dr. Charlson an und wünschte sich nichts mehr, als dass er ihr keine typische Arztantwort gab.
»Nun Frau Roberts, leider kann Ihnen das niemand so genau sagen. Ich kann Ihnen nur sagen, dass die Scans

ergeben haben, dass mit Ihrem Gehirn alles in Ordnung ist und somit gehen wir nach wie vor davon aus, dass all Ihre Erinnerungen nach und nach wieder kommen werden, aber wie lange das dauert, das ist unmöglich vorherzusagen.«

Nancy bekam genau die Antwort, die sie eben nicht hören wollte. Doch sie verstand natürlich, dass auch ein Arzt nicht hellsehen konnte und doch wünschte sie sich etwas anderes.

»Haben Sie noch etwas Geduld mit sich selbst Frau Roberts, machen Sie sich keinen Druck, dann sind die Chancen umso besser«, sagte Dr. Charlson und wand sich zum gehen um.

Catharina schlang ihre Arme um Nancy.

»Du wirst sehen, es wird alles wieder gut« …

Diesen Satz mochte Nancy noch nie. So eine Floskel. Das sagte man doch nur, wenn einem nichts besseres einfiel. Dieser Satz ist in den Top 10 der Standardsätze die jeder sagte, aber keiner hören möchte. Denn niemand konnte wissen, ob alles wieder gut werden würde.

Kapitel 53

18. Dezember, Catharina und Ashley

Catharina hatte den ganzen Abend mit Nancy im Krankenhaus verbracht. Es fühlte sich beinahe so an wie früher, sie genoss jede Sekunde bis die Schwester sie aufforderte, Nancy auch mal etwas Ruhe zu gönnen.
Sie hatte seit langer Zeit mal wieder tief und fest geschlafen. Sie hatte wieder so viel Hoffnung in sich, dass es ihr eine unbändige Kraft verlieh.
Heute wollte sie unbedingt die Dekoration kaufen und die Wohnung schön herrichten. Sie ging fest davon aus, dass Nancy zu ihr nach Hause zurück kommen möchte und sie zusammen die Weihnachtstage verbrachten.
Sie hatten noch nicht darüber gesprochen, Cath brachte nicht so viel Mut auf um Nancy zu fragen, vielleicht würde sie das heute tun. Sie hatte sich mit Ash zum Einkaufen verabredet. Gestern war sie zu müde um Ash noch alle Neuigkeiten zu erzählen, das konnten sie heute bei einem ausgiebigen Frühstück nachholen.
Um zehn Uhr trafen sie sich in ihrem Stammcafe in dem es auch das beste Frühstück der Stadt gab.
Als Cath Ashley freudestrahlend von den gestrigen Ereignissen berichtet hatte, spürte sie, wie auch bei Ash die Freude aufstieg und sie vernahm ein Funkeln in ihren Augen. Bald hatte Ash ihre beste Freundin

wieder zurück und Cath konnte mit Nancy wieder gemeinsam durchs Leben schreiten und ihre alten Pläne, Träume und Wünsche weiter verfolgen.

Nach dem Frühstück bummelten sie durch sämtliche Läden der Innenstadt.
Ash shoppte Weihnachtsgeschenke, sie war immer etwas spät dran, jedes Jahr und Cath hatte mittlerweile fünf volle Tüten, die meisten davon tatsächlich mit Dekorationen und einem besonderen Geschenk für Nancy.
»Hey Cath, sag mal, gehst du heute noch zu Nancy?« fragte Ash.
»Klar, sobald ich alle Einkäufe nach Hause geschleppt habe, falls ich bis dahin nicht zusammen gebrochen bin«, antwortete Cath lachend.
»Meinst du, ich darf mit? … Ich weiß nicht ob Nancy bereit ist, was meinst du?«
Cath schaute nachdenklich.
»Komm mit. Ich denke, spätestens nach gestern Abend ist auch Nancy friedlich gestimmt, sie freut sich bestimmt, sie braucht uns«, ermutigte sie Catharina.
Ashley huschte ein Lächeln über die Lippen. Sie nahm Cath in den Arm.
»Ich bin so froh, dass alles bald ein Ende hat«, flüstert sie Cath ins Ohr.
»Und ich erst. Lass uns nach Hause gehen, kommst du gleich mit?« fragte Cath

»Äh, ich würde auch erst die ganzen Tüten nach Hause bringen und komme dann direkt zu dir, ok?«
»Klar, so machen wir das, bis später.«
Ash ging in die Entgegengesetzte Richtung zu ihrem Auto. Cath war mit der Bahn gefahren und eilte zur nächsten Station.
Während sie auf die Bahn wartete, schrieb sie eine Nachricht an Nancy.

Hallo Nancy,

Ich freue mich schon auf später und in ein paar Tagen kann ich dich endlich wieder mit nach Hause nehmen.
Kuss, deine Cath

Kaum hatte sie die Nachricht versendet, war sie sich auch schon nicht mehr sicher ob es nicht zu viel war. Auf keinen Fall wollte sie einen Rückschritt machen, doch ihre Geduld war allmählich auch am Ende.

Während der gesamten Fahrt starrte sie auf ihr Smartphone, sie hoffte so sehr, dass Nancy ihr zurück schrieb.
So wie früher, sie schrieben sich den ganzen Tag wenn Cath bei der Arbeit war und das obwohl sie schon so lange zusammen waren.

Zuhause angekommen lies sie alle Taschen fallen.

»Boah, das war ein Marathon«, rief sie in den Raum während sie sich am Esstisch auf den Stuhl fallen lies. Heute wollte sie nicht mehr die ganze Dekoration fertig machen, da sie dafür eh kein Händchen hatte, würde sie dafür sicherlich zu viel Zeit brauchen und Zeit wollte sie im Moment nur bei und mit Nancy verbringen. Sie hatte morgen noch genug Zeit. Sie hatte schon Weihnachtsurlaub. Dieses Jahr gönnte sie sich mal vier Wochen am Stück, das hatte sie kurzfristig geändert als klar war, dass Nancy wieder zu sich kam.

Sie wollte sich gerade auf den Weg ins Badezimmer machen, noch schnell unter die Dusche springen bevor Ash wieder kam, da vibrierte ihr Handy. Kurz wollte sie es ignorieren doch dann kam ihr in den Sinn, dass es die Antwort von Nancy sein könnte und sie stürzte sich auf ihr Telefon.

Liebe Cath,
Ich freue mich auf deinen Besuch.
Deine Nancy

Catharina freute sich so sehr über diese Nachricht, dass sie es beim herumwirbeln fast aus der Hand fallen lies.
Dann las sie die Nachricht nochmals und ein bisschen traurig stimmte es sie dann doch.

Leider erwähnte Nancy nichts in der Richtung von nach Hause kommen … vielleicht war das aber auch zuviel verlangt.
Sie überlegte kurz ihr zurück zu schreiben, doch dann klingelte es auch schon an der Tür, sie lies das Telefon liegen und öffnete Ash die Tür.
»Hey , bist du startklar, können wir los?« fragte Ash und umarmte Cath.
»Nein , tut mir leid, du warst sooo schnell, ich muss noch unter die Dusche.«
»Verstehe, dann gib Gas, deine Liebste wartet«, sagte Ash und gab Cath einen Klaps auf den Hintern.

Während Cath duschte, wanderte Ashley durch Nancys Arbeitszimmer. Es war nicht allzu viel drin, Nancy mochte ein aufgeräumtes Arbeitsumfeld in dem sie nicht von allen möglichen Dingen abgelenkt wurde. Nur ob sie das auch noch wusste?
Ash schaute sich das erste Buch von Nancy an. Sie war so stolz darauf gewesen, dass es einen Ehrenplatz bekam und in einer kleinen, beleuchteten Hängevitrine stand, die neben dem Schreibtisch hing.
Catharina hatte mal erzählt wie sie Nancy dabei beobachtete, am Schreibtisch sitzend, in diese Vitrine zu starren.
Sie hatte so lange für die Veröffentlichung dieses Buches gekämpft. Unzählige Verlage wiesen ihr Buch ab oder gaben ihr erst gar keine Rückmeldung. Als sie drauf und dran war aufzugeben, fand sich doch noch

ein Verlag der den Wert des Buches erkannte. Selbst danach dauerte es jedoch noch über ein Jahr, bis ihr Buch endlich erschien.

Nancy hatte sich nie zu Träumen gewagt, dass ihr erstes Buch so ein Erfolg werden würde.

Kurz darauf fing sie an ihr zweites Buch zu schreiben, leider geschah ausgerechnet dann der Unfall. Doch trotz dessen oder vielleicht genau deswegen wuchs ihre Fangemeinde unaufhörlich. Catharina richtete für Nancy eine Fanseite ein. Täglich gingen etliche Nachrichten ein mit Genesungswünschen und der Nachfrage, wann das nächste Buch käme.

Ashley war sich sicher, dass Nancy an ihren Erfolg anknüpfen könnte, sobald sie sich wieder erholt hatte.

Vielleicht konnte sie sogar ihre Geschichte zu Papier bringen. Ja, sie war sich sogar sicher, dass das für sie die Idee für ein neues Buch sein konnte.

Kapitel 54

22. Dezember, Nancy und Catharina

Endlich durfte Nancy nach Hause.
Catharina sprang heute besonders leicht aus dem Bett und die ganze Nacht über sank sie immer nur kurz in den Schlaf. Zu groß war die Vorfreude und Angst. Ja, sie hatte auch Angst davor, dass es vielleicht mit ihnen nicht mehr richtig funktionieren würde. Vielleicht hatte all das etwas zwischen ihnen verändert, das sich nicht mehr reparieren lies. Aber natürlich konnte es auch genauso sein, dass es besser den je wurde. Sobald Nancy sich an alles wieder erinnern würde, wüsste sie es mehr zu schätzen, nach all den Albträumen die sie erlebt haben musste.
Vor zwei Tagen hatte Nancy ihr endlich gesagt, dass sie gerne Weihnachten mit ihr verbringen würde und in ihr gemeinsames Zuhause möchte.
In den letzten Tage hatte Nancy sich auch wieder mit Ashley etwas versöhnt, wenn auch noch eine gewisse Distanz zwischen ihnen herrschte.
Manchmal schien es so, als wäre Nancy sich immer noch nicht sicher, dass sie das alles nur geträumt hatte. Dr. Charlson hatte uns beim gestrigen Gespräch jedoch nochmals versichert, dass diese Unsicherheit in absehbarer Zeit verschwinden würde.
Catharina hatte gestern noch einen Weihnachtsbaum besorgt und ihn mit Ash zusammen geschmückt.

Nancy liebte Weihnachtsbäume und Catharina wollte alles dafür tun, um die besten und liebsten Erinnerungen wieder zum Vorschein zu bringen.
Es war mehr als erstaunlich, dass Nancy nach derartigen Verletzungen körperlich nahezu unversehrt war. Lediglich mit ihrer linken Hand hatte sie noch motorische Schwierigkeiten. Das musste nicht so bleiben, könnte aber. Nancy ist Linkshänderin, umso wichtiger für sie, dass die linke Hand funktionierte.
Doch selbst Nancy wurde von Tag zu Tag zuversichtlicher, auch wenn es Catharina manchmal noch so schien, als würde sie irgendetwas bedrücken, sie sich aber nicht trauen es zu sagen.
Catharina hatte die letzten Tage jede freie Minute bei Nancy verbracht. Sogar Jeff kam sie mal im Krankenhaus besuchen und er brachte seine kleine Tochter Mia mit.
Jeffs Tochter zu sehen war für Nancy äußerst wichtig. Es war für sie einer der größten Beweise, dass all das was sie zu wissen meinte, nur ein Traum war.

Kapitel 55

22. Dezember, Nancy, St. Vincent Krankenhaus

Nancy war nervös. Sie fühlte sich so, als ob sie zum ersten Mal zu ihrer neuen Freundin gehen würde. Dabei ging sie in ihr Zuhause, nur konnte sie es so noch nicht fühlen. Ihre Erinnerungen kamen zwar bruchstückhaft zurück, jedoch fehlten noch viele Puzzlestücke um ein Gesamtbild zu ergeben.

Nachdem Jeff mit seiner Tochter da war, konnte sie das erste Mal so richtig begreifen, dass ihre Erinnerungen nach dem Aufwachen keine realen Erinnerungen waren, sondern ein Konstrukt ihres Gehirns, das in einem Ausnahmezustand war und ihr einen Albtraum abgespielt hatte.

So langsam kamen auch die alten Gefühle für Catharina zurück, Gefühle die in Wahrheit wahrscheinlich niemals weg waren und doch erschienen sie ihr manchmal fremd.

Sie sprach mit Dr. Charlson darüber, da sie Angst hatte, dass diese Gefühle nicht richtig waren oder etwas Schlechtes zu bedeuten hatten.

Sobald alle Erinnerungen zurück kamen, sollten auch diese unsicheren Gefühle ein Ende haben, das war die Aussage von Dr. Charlson. Das beruhigte Nancy zumindest zum Teil. Es war schwer, all das zu verstehen und zu fühlen.

Das Einzige, das sie an ihrem Albtraum nicht los lies, war der ständige Gedanke an das Café Schreiberling und zugegeben auch an Lea, die ihr so perfekt erschien, so perfekt, dass es sie wohl in Wirklichkeit nicht geben konnte, stellte Nancy immer wieder seufzend fest.

Sie konnte ja schlecht eine Person aus einem Traum lieben und doch kam es ihr immer wieder so vor. Zweifelsohne hatte sie Gefühle für Catharina, doch so ganz konnte sie auch die Gefühle für Lea nicht abschütteln. Für eine Frau, die reine Fiktion war. Ein Mensch, der einfach nicht existierte und nur von ihrer Fantasie erschaffen wurde.

Catharina hatte ihr versichert, dass es das Café Schreiberling in der Stadt nicht gäbe, aber wieso eigentlich nicht?

Wieso hätte es nur in ihrem Traum funktionieren sollen?

Was sprach dagegen einen Raum zu erschaffen in dem sich Menschen trafen, um an ihren Werken zu arbeiten?

Es war ihr, als ob sie eine Aufgabe für sich fand.

Noch hatte sie mit Catharina nicht darüber gesprochen, doch es spukte fast pausenlos in ihrem Kopf herum.

Irgendetwas Gutes musste dieser blöde Unfall doch gehabt haben. Man sagt ja schließlich, nichts geschieht ohne Grund, alles hätte am Ende irgendetwas Gutes für sich. Nancy glaubte daran tatsächlich schon immer.

Egal was ihr Schreckliches widerfuhr, wenn es auch Jahre dauerte, am Ende hatte das Schlechte für etwas Gutes gesorgt, das es ohne das Schlechte niemals gegeben hätte. Auch half ihr genau das dabei, das ein oder andere schlimme Geschehnis besser zu ertragen.
Wenn es nun also ihre Aufgabe war, genau diesen Raum für die Menschen zu schaffen?
Die letzten Nächte in denen sie nicht so gut schlafen konnte, machte sie in ihrem Kopf schon so viele Pläne. Pläne wie es dort aussehen könnte, was sie alles anbieten könnte und Vorlesungen sollte es dort geben. Am liebsten von unbekannten Autoren, denen sie gerne die Möglichkeit bieten wollte, auf sich aufmerksam zu machen.
Sie schmiedete Pläne ohne auch nur den Hauch einer Ahnung von diesem Gewerbe zu haben, doch sie verspürte unendlich viel Mut. Endlich fühlte sich etwas absolut richtig an und es machte ihr keine Angst es in Angriff zu nehmen. Selbst wenn sie eine erfolgreiche Autorin war, so konnte sie doch trotzdem auch eine erfolgreiche Café Betreiberin sein.
Nancy verlor sich wieder vollkommen in ihren Gedanken, als Catharina herein kam.
»Hey, bist du bereit nach Hause zu gehen?« fragte Catharina, strahlend über beide Ohren mit dem Kopf im Türspalt.
Es riss Nancy schlagartig aus ihren Tagträumen.
»Ja klar, nichts lieber als das«, erwiderte sie und empfand nun tatsächlich dieselbe Freude

wie Catharina.
Denn sie strotze nur so vor Tatendrang.
Nancy sprang aus dem Bett und nahm ihre gepackte Tasche unter den Arm.
Sie war sich immer noch nicht sicher wie sie Catharina begrüßen sollte. Mal umarmten sie sich, mal küssten sie sich. Für Nancy war es jedes Mal wie in einer neuen Beziehung, wenn man gerade frisch zusammen gekommen war und beide Seiten noch unsicher und unbeholfen waren.
Zum Glück ergriff meistens Catharina die Initiative.
Catharina hakte sich bei Nancy unter den Arm.
»Sag mal, wie kommen wir nach Hause?« fragte Nancy.
Catharina schaute sie verdutzt an.
»Wie meinst du das? Also einen Privatjet haben wir nicht aber wir können unser Auto nehmen, zum Beispiel.«
»Ein Auto? Oh, ich wusste gar nicht, dass wir eins haben, ehrlich gesagt.« Nancy fühlte sich dabei mehr als blöd, anscheinend konnte sie sich nicht mal an solche Kleinigkeiten erinnern. Als hätte man jemanden einfach in ein neues Leben geworfen.
»Das macht doch nichts. Wir hatten schon immer ein Auto, obwohl du meist Bahn gefahren bist. Du hast die Parkplatzsuche immer so gehasst, dass du deswegen das Auto lieber stehen gelassen hast.«
Catharina schenkte ihr immer ein breites Lächeln wenn sie mal wieder von etwas erzählte, das Nancy ei-

gentlich wissen müsste, sie machte das, damit Nancy sich nicht irgendwie blöd fühlte.
»Okay, ich denke, ich muss noch viel über mich selbst lernen«, sagte Nancy verlegen.
»Glaub mir, das kommt von selbst wieder, du musst es nicht lernen. Zuhause zu sein wird dir bestimmt helfen deine Erinnerungen wieder hervor zu holen.«
»Ja, bestimmt wird das so sein und was für ein Auto haben wir? Wenn ich es suchen müsste, wüsste ich nicht, wonach ich suchen sollte.«
Catharina nahm Nancys Hand und mit der anderen zeigte sie auf ein dunkelgraues Fahrzeug.
»Das da ist es. Es ist das, das du dir so sehr gewünscht hattest obwohl du nicht mal gerne fährst, wohlgemerkt«, sagte Catharina mit erhobenem Finger.
»Wir haben es nach meiner Beförderung gekauft, obwohl wir es eher selten brauchen. Du hast ja meistens zuhause gearbeitet und ich habe es nicht weit zur Arbeit, aber wir hatten uns vor vielen Jahren, besser gesagt in unseren Anfängen ausgemalt, dass wir uns genau so eines kaufen, sobald wir es uns erarbeitet haben.«
»Wow, in dem Fall, lief es gut bei uns oder für uns, oder?«
Nancy machte große Augen. Denn in ihrem Traum war sie pleite und perspektivlos.
»Ja, besonders die letzten Jahren hatten wir einen wahren Aufschwung. Als dann auch noch dein Buch ein Verkaufsschlager wurde und du das zweite Buch

schon angefangen hattest, hätte es für uns nicht besser laufen können. Wir können daran wieder anknüpfen.«

Kapitel 56

22. Dezember 2021, Nancy und Catharina Zuhause

Für den 22. Dezember war es ein außerordentlich warmer und sonniger Tag. Das lies die großzügige, lichtdurchflutete Wohnung von Nancy und Catharina noch größer und freundlicher erscheinen.
Nancy wanderte mit langsamen Schritten von Raum zu Raum. Sie strich mit ihren Händen über Möbel, Dekorationen und Bilder als würde sie alles zum ersten Mal in ihrem Leben sehen.
Manches löste in ihr tatsächlich eine Erinnerung aus, meistens waren es die Bilder an der Wand. Sie konnte sich an die Orte erinnern, die auf den Bildern zu sehen waren.
»Waren wir wirklich schon an so vielen Orten?« fragte sie Catharina, die gerade in der Küche einen Snack zubereitete.
»Ja, nachdem dein Buch erschienen war, haben wir uns eine längere Auszeit genommen und sind viel umher gereist. Du hast auf der Reise mit deinem neuen Buch begonnen.«
»Und wo ist mein Buch?«
»In deinem Büro, es steht in der Vitrine über dem Schreibtisch und das zweite Buch existiert nur auf deinem Computer. Du hattest mal gesagt, dass du etwa ein Drittel davon fertig hast.«

Nancy wollte gerade fragen wo denn das Büro sei, doch im selben Moment verkniff sie sich die Frage. Sie kam ihr albern vor, schließlich wohnte sie hier.
»Gut, ich gehe mal nach oben«, rief Nancy Catharina noch zu.
»Ich rufe dich wenn das Essen fertig ist.«

In der zweiten Etage befanden sich noch drei weitere Räume. Nancy hatte keine Ahnung hinter welcher Tür sich ihr Büro befand, geschweige denn, was hinter den anderen beiden Türen auf sie wartete.
Hinter der ersten Tür fand sie ein kleines, jedoch wunderschönes, modernes Badezimmer mit einer Whirlpool Badewanne, einer riesigen ebenerdigen Dusche und zwei Waschtischen aus Holz. Sie konnte nicht glauben, dass sie ein so schönes Zuhause hatte. Kein Vergleich zu ihrem Zuhause in ihren Albträumen.
Als nächstes gelangte sie ins Schlafzimmer. Es war groß, hell und es stand das größte Bett darin, das sie jemals gesehen hatte. Alles wirkte sehr hochwertig und teuer. Es musste ihnen wirklich gut gegangen sein, dachte sie.
Nur leider lösten die einzelnen Räume noch keine Erinnerungen in ihr aus.
Als sie vor der letzten Tür im Obergeschoß stand, zögerte sie eine Weile. Es könnte der Raum sein, der sie in die Realität zurück katapultiert.

Kapitel 57

16. Mai 2022

Nancy streifte durch den leeren Laden. Sie hatte ihn vor einigen Tagen entdeckt und war gefesselt von dem **zu vermieten** Schild in der Tür. Sie hatte ein Dejavu.
Noch während sie davor stand, wählte sie die Nummer die auf dem Aushang stand und vereinbarte einen Besichtigungstermin.

Nachdem ihre Erinnerungen in den letzten Monaten nahezu komplett zurück gekehrt waren, blieb der Drang ein Café Schreiberling zu eröffnen. Immer mehr bekam sie das Gefühl, dass es ihr Schicksal war. Es war für sie vorherbestimmt. So dramatisch ihr Unfall auch war, er half ihr diese Lücke in sich zu schließen. Jetzt wusste sie, dass sie zu mehr bestimmt war als Bücher schreiben. Auch wenn das Meiste aus ihrem Albtraum absolut unrealistisch war, so sollte dieser kleine Ausschnitt Realität werden.
Catharina unterstütze sie so gut sie konnte und ermutigte sie zu jeder Zeit an ihrem Plan festzuhalten.
Die Suche nach einem geeigneten Ladenlokal erwies sich jedoch als äußerst schwierig. Während Nancy auf eine glückliche Fügung wartete, fing sie an ihr zweites Buch zu schreiben. Sie machte ihre Geschichte zu einem Roman. Es würde noch eine Weile dauern bis es veröffentlich werden würde.

In dieser Zeit wollte Nancy sich voll und ganz auf die Eröffnung des Cafés konzentrieren und sie wollte es genauso einrichten, wie sie es aus ihrem Traum kannte.

Ashley hatte sich sofort bereit erklärt sie zu unterstützen und die ersten Monate auszuhelfen.

Der Vermieter lies Nancy alle Zeit der Welt, die Räumlichkeiten auf sich wirken zu lassen.
Die Miete war für diese Gegend sogar recht erschwinglich, das würde ihr den Start vereinfachen und sie glaubte mehr denn je an ihre Idee.
»Cath, das ist er, ich spüre es«, verkündete Nancy, während sie sich im Kreis drehte und ihr Glück kaum fassen konnte.
Catharina bemerkte das Strahlen in ihren Augen.
»Dann soll es so sein, ich freue mich so für dich!«

Der Vermieter willigte sogar sofort ein, obwohl er noch mehr Interessenten hatte. Vielleicht hatte er dasselbe gespürt wie Nancy. Es war für sie bestimmt.

Kapitel 58

24. Juli 2022

Nancy ist so aufgeregt wie noch nie in ihrem Leben.
Heute, am Sonntag, findet die große Eröffnung statt. Ashley und Catharina helfen ihr schon seit heute morgen um sechs Uhr. Nancy hat tausende Flyer drucken lassen. Hat Postwurfsendungen in Auftrag gegeben und in der gesamten Stadt Handzettel verteilt. Sie wollte nichts unversucht lassen, um das Café so schnell wie möglich bekannt zu machen.
Heute zur Eröffnung gibt es Sekt und Fingerfood, natürlich alles aufs Haus und ab morgen soll der Alltagsbetrieb starten.
Selbst Ashley und Catharina ist die Aufregung anzumerken.

Um elf Uhr geht es los. Schon um 10.45 Uhr stehen die ersten vor der Tür, eine kleine Menschentraube hat sich gebildet. Mehr als Nancy erwartet hat.
»Leute, gleich geht es los«, ruft Nancy und die Menschen auf der Straße applaudieren.
Um Punkt elf Uhr schneidet Nancy das rote Band an der Eingangstür durch.
»Herzlich willkommen im Schreiberling.«
Mindestens fünfundzwanzig Menschen sind gekommen und es wurden immer mehr. Alle drei kamen kaum hinterher und schenkten Sekt im Akkord ein.

Nancy wollte den besten ersten Eindruck hinterlassen und im Gedächtnis der Menschen bleiben. Sie hat ihr erstes Buch ausgestellt und so erkannten sie viele Leute.
Sofort war sie in unzählige Gespräche verwickelt, als die Tür sich öffnet und eine junge Frau herein kommt, mit kurzen blonden Haaren, strahlend blauen Augen und einem markanten Gesicht, wie Nancy es bisher nur einmal gesehen hat … in ihrem Traum!

Danksagung

Nun ist mein erstes Buch endlich erschienen. Ich begann es zu schreiben im Oktober 2021.

Nach einigen Monaten gab es eine lange Pause. Ich wusste nicht, wohin die Geschichte sich entwickeln sollte/konnte und so lies ich mir Zeit, bis das richtige Gefühle und die passende Idee geboren wurde.

Ich danke allen Lesern und Leserinnen und ich hoffe, ihr freut euch auf das zweite Buch genauso sehr wie ich. Es ist nämlich schon in Arbeit.

Auch möchte ich meiner Freundin danken, die mich immer wieder ermutige weiter zu schreiben, immer wieder nachfragte ob es denn mal weiter gingen und in regelmäßigen Abständen sagte, dass ich es unbedingt fertig schreiben müsste.

Meine Lektoren waren Freunde, Bekannte und Verwandte, danke, dass ihr euch die Mühe gemacht habt die unzähligen Fehler zu korrigieren.

Wenn ihr mehr über mich und das Vorankommen meines zweiten Buches wissen möchtet, dann folgt mir auf Instagram **monikak.autorin**

Gerne könnt ihr mir auch eine Mail schicken mit eurer Kritik, Lob und was euch sonst so in den Sinn kommt

kunst-des-schreibens-mk@gmx.de